Alter Orient und Altes Testament – Sonderreihe
Veröffentlichungen zur Kultur und Geschichte des Alten Orients

Bd. 6 Rykle Borger

Akkadische Zeichenliste

Alter Orient und Altes Testament
Sonderreihe

Veröffentlichungen zur Kultur und Geschichte des Alten Orients

Herausgeber

Kurt Bergerhof · Manfried Dietrich · Oswald Loretz

1971

Verlag Butzon & Bercker Kevelaer

Neukirchener Verlag des Erziehungsvereins Neukirchen-Vluyn

Akkadische Zeichenliste

von

Rykle Borger

1971

Verlag Butzon & Bercker Kevelaer

Neukirchener Verlag des Erziehungsvereins Neukirchen-Vluyn

ISBN 3 7666 8538 4 Verlag Butzon & Bercker Kevelaer.
ISBN 3 7887 0318 0 Neukirchener Verlag des Erziehungsvereins
Neukirchen-Vluyn.

Herstellung: Butzon & Bercker Kevelaer.

VORWORT

Das vorliegende Buch beruht im wesentlichen auf einigen älteren kurzgefassten Zeichenlisten (namentlich King, First steps; Pinches, Outline; Delitzsch, Assyrische Lesestücke^5; Ungnad, Keilschriftlesebuch; Bauer, Akkadische Lesestücke) und den modernen Wörterbüchern (vSoden, Akkadisches Handwörterbuch und Oppenheim u.a., Chicago Assyrian dictionary), sowie für die Lautwerte auf vSoden + Röllig, Das akkadische Syllabar^2. Für den zur Zeit noch nicht in AHw oder CAD bearbeiteten Teil des Wortschatzes (die Buchstaben r ab ramû, s, š, t, ṭ und u) stellte Labats Manuel d'épigraphie akkadienne eine wichtige Orientierung dar. Natürlich wurden auch mehrere andere Hilfsmittel sowie zahlreiche Privatnotizen berücksichtigt. Unter erheblichem Zeitdruck stehend musste ich freilich auf sorgfältige Berücksichtigung sämtlicher in Frage kommender Hilfsmittel verzichten. Es schien mir auch besser, ein leidlich gutes Buch kurzfristig erscheinen zu lassen als ein perfektionistisches Opus irgendwann in der Zukunft, zumal schon seit einigen Jahren keine brauchbare Zeichenliste mehr lieferbar ist.

Es war meine Absicht, ein Hilfsmittel für den Unterricht und für den täglichen Gebrauch der Fachgenossen zu liefern, das trotz relativer Vollständigkeit durch übersichtlichen Aufbau auch vom Anfänger mühelos benutzt werden kann. Absolute Autarkie wurde nicht angestrebt. Zur Vereinfachung habe ich das altakkadische Material (siehe dafür Gelb, Materials for the Assyrian dictionary 2^2 und 3), das altassyrische Syllabar (siehe Thureau-Dangin, Tablettes cappadociennes II), die von Deller entdeckten Eigentümlichkeiten der neuassyrischen Orthographie (siehe Orientalia NS 31 7-26 und 186-196 sowie 34 473), die Randgebiete, sehr spezialisierte Textgruppen (namentlich Mathematik und Astronomie) und kryptographische Texte ausser Betracht gelassen. Paläographisch habe ich mich, ausser auf die (mittel- und) neuassyrische Schriftform, nach der die Liste natürlich angeordnet ist, auf die neubabylonischen Zeichenformen (im wesentlichen nach Pinches, Outline) und die Zeichen des Kodex Ḫammurapi (nach Harper) beschränkt. Im Zeitalter der Xerokopie kann man mein Buch leicht ergänzen mit Hilfe der Zeichenlisten von Goetze, Old Babylonian omen texts (altbabylonische Kursive) und Hinke, Selected Babylonian kudurru inscriptions (mittelbabylonische Monumentalschrift; allerdings etwas veraltet).

Es ist demnach keineswegs meine Absicht, Labats Manuel zu verdrängen, das diesen Einschränkungen im allgemeinen nicht unterliegt und dessen fünfte, diesmal revidierte Auflage wir seit einigen Jahren mit wachsender Spannung erwarten. Dass auch Deimels Šumerisches Lexikon, Fosseys Manuel d'Assyriologie II und vSodens Akkadisches Syllabar unentbehrlich bleiben werden, brauche ich kaum zu betonen.

Ich habe nur solche Logogramme aufgenommen, die ich in akkadischem Kontext belegen kann, also keine Lesungen, die wir nur aus Vokabularen und sonstigen zweisprachigen Texten kennen. Äusserst selten belegte Sumerogramme, die man bei Deimel mühelos findet, habe ich weggelassen, in anderen Fällen ist Abhilfe durch Zitate im zweiten Band meines Handbuchs der Keilschriftliteratur vorgesehen.

Statt gelegentlicher Hinweise auf sumerische grammatische Elemente innerhalb der Zeichenliste füge ich am Schluss einen nach den Keilschriftzeichen geordneten Index zur sumerischen Grammatik bei. Herr Doz. J.Krecher hat das Manuskript dieses Abschnittes freundlicherweise durchgesehen; ich verdanke ihm zahlreiche Berichtigungen und Ergänzungen.

Göttingen, den 27. VIII. 1971 Rykle Borger

INHALTSVERZEICHNIS

Nachträge

S. 12 Nr. 5 — 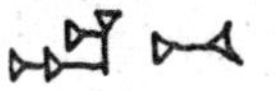 = ba-úš und 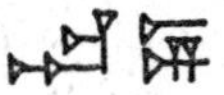 = ba-zal siehe n69 bzw. 231

S. 17 Nr. 31 — KA×MI auch = a/idirtu, Trübsal

S. 21 Nr. 69 — til = bašû, sein (Strassmaier Nabon. 348 12, Cyrus 308 2)

S. 25 Nr. 84 — lú 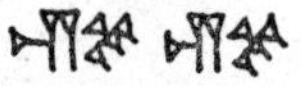 = zi-zi = dēkû, Nachtwächter

S. 41 Z. 5 — 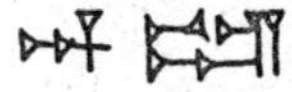 = an-úr = išid šamê, Horizont

S. 42 Z. 5 — Statt -kunga lies -kunga$_x$

S. 53 Nr. 324 —  = é-ùr-ra =(?) rugbu, Dachgeschoss

S. 57 Nr. 331 — gi/d 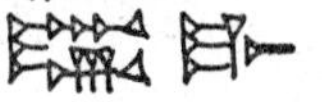 = ùri-gal = urigallu, Standarte

S. 57 Nr. 332 — zag = pāṭu, Grenze, Gebiet

S. 62 Nr. 354 — lú 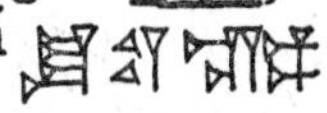 () = šu-ut-sag(-meš), cf Vf. BAL LXXVIa

S. 68 Z. 6 — Statt ára(UD-DU)- lies ara$_4$(UD-DU)-

S. 75 Nr. 420 — Lautwert rím (nur rém? j., cf Deller OrNS 31 23)

S. 84 Nr. 472 — 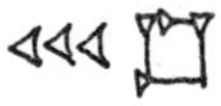 = bà-rì (Hunger BAK p159b)

S. 92 Z. 3 — Statt -imma lies -imma$_x$

S. 96 Z. 25 — Statt 585 lies 585*

S. 97 Z. 29 — Statt (w)ēdu lies (w)ēdû

S. 103-109 — Statt ára lies ara$_4$. babbar$_x$ (381 und) 324. bar$_6$ (381 und) 324. dalla 74,238. Statt gira 296 lies gira cf 172 und 296. Statt imma lies imma$_x$. Statt kunga lies kunga$_x$. sur$_x$ 575. šab und šap 295k (nicht 295d). S. 109 Z. 4 ṭà lies ṭì.

I ÜBERSICHT ÜBER DIE ASSYRISCHEN UND BABYLONISCHEN ZEICHENFORMEN

Nr.	Ass.	Bab. j.	Bab. a. (KH)
1		do	do
2		do	
–		do	do
3			
4			
5			
6			
7			
8			
9			
10			
11			
12			
13		do	
14			
15			
16			
17			

Nr.	Ass.	Bab. j.	Bab. a. (KH)
18			
18*			
19+26	bzw.		
26			
29*			
30			
31			
32			
35			
36			
38			
40			
41			
43			
44			
46			
49*			
50			= ìr = wardu
52			
53		= 467	
54			
55			
56			
57			Cf KH § 257

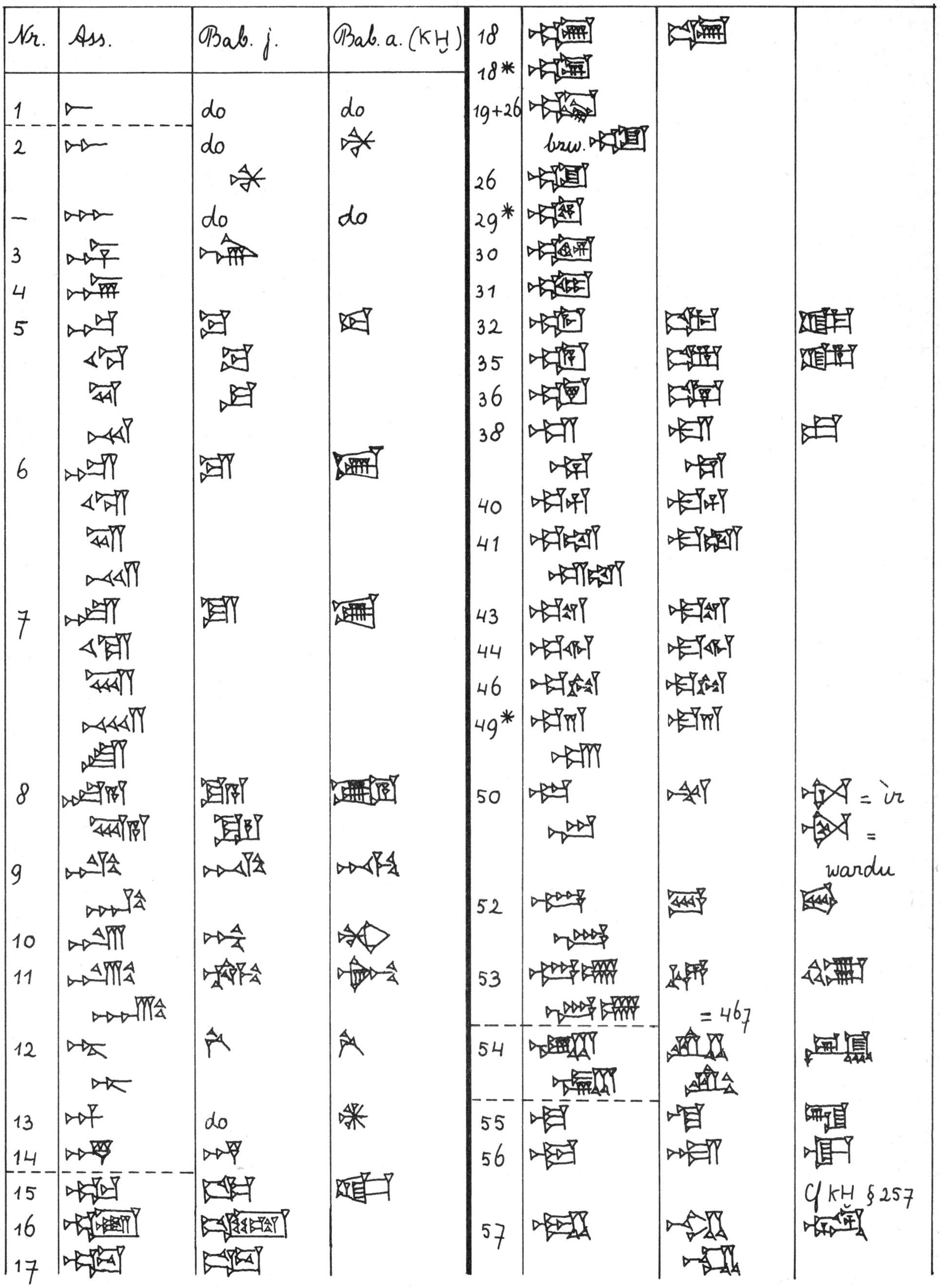

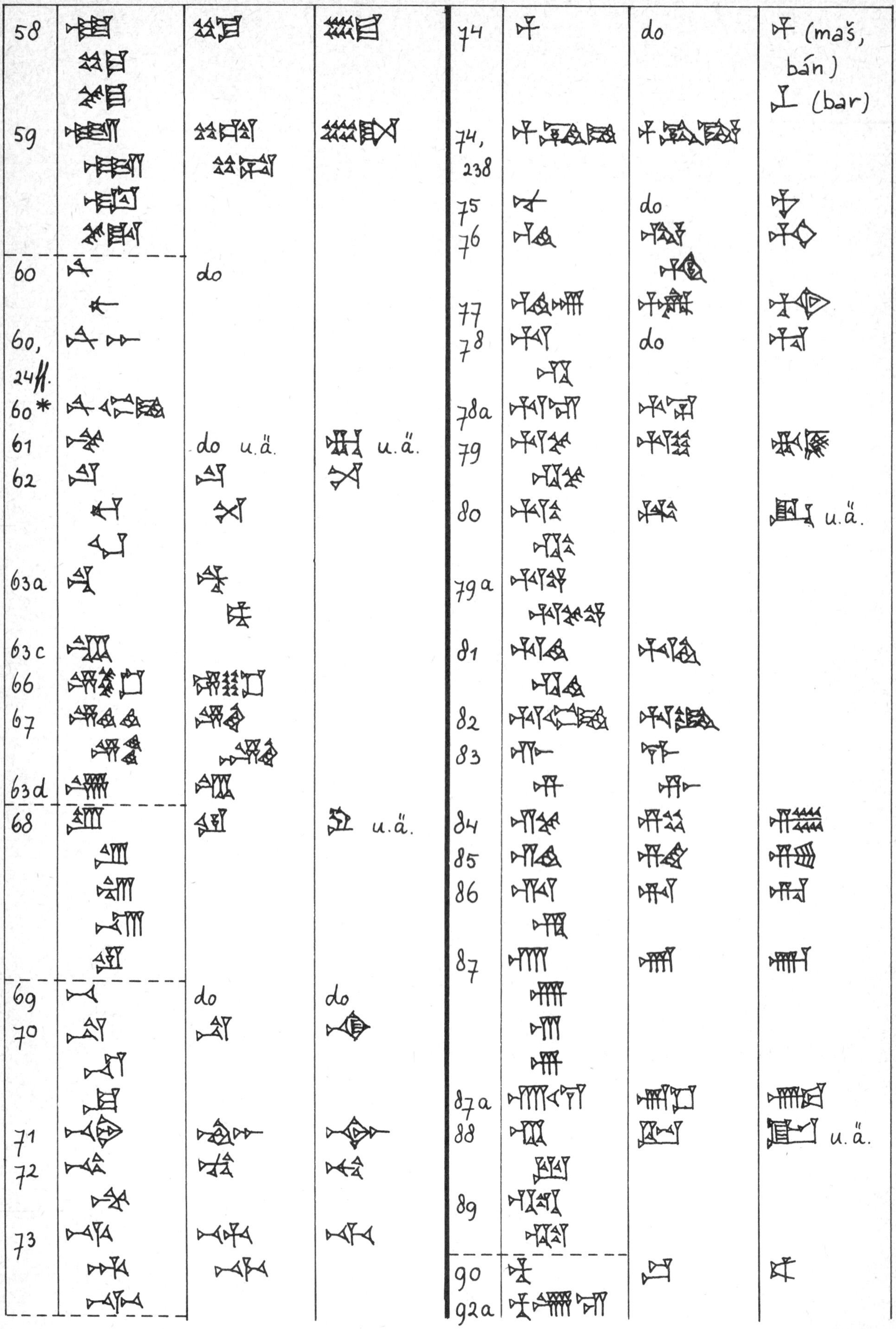
58
59
60
do
60,
24ff.
60*
61
do u.ä.
u.ä.
62
63a
63c
66
67
63d
68
u.ä.
69
do
do
70
71
72
73
74
do
(maš,
bán)
(bar)
74,
238
75
do
76
77
78
do
78a
79
80
u.ä.
79a
81
82
83
84
85
86
87
87a
88
u.ä.
89
90
92a

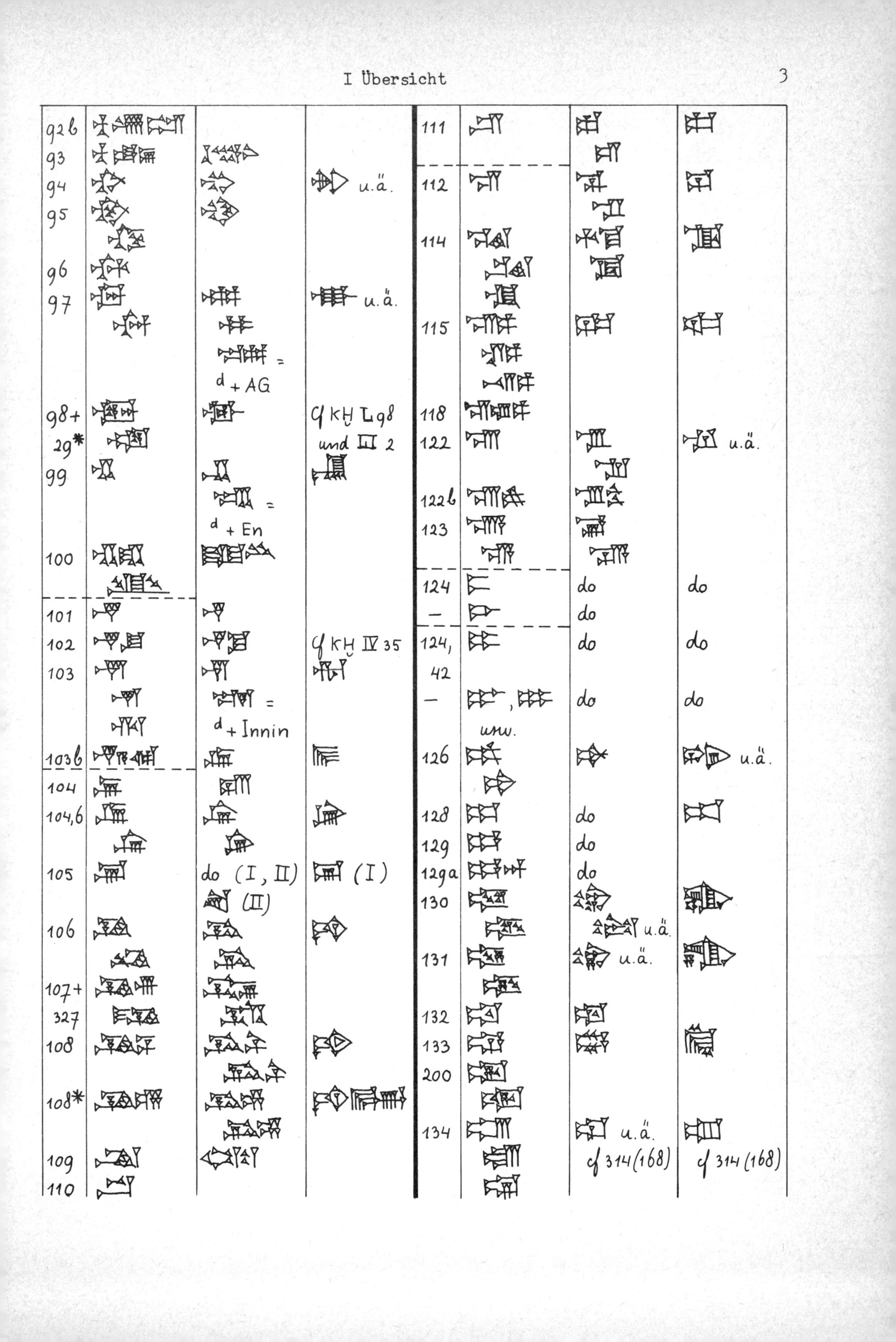

92b			
93			
94			u.ä.
95			
96			
97		= d + AG	u.ä.
98+ 29*			cf KḪ L 98 und III 2
99		= d + En	
100			
101			
102			cf KḪ IV 35
103		= d + Innin	
103b			
104			
104,6			
105		do (I, II) (II)	(I)
106			
107+ 327			
108			
108*			
109			
110			

111			
112			
114			
115			
118			
122			u.ä.
122b			
123			
124		do	do
—		do	
124, 42		do	do
—	, usw.	do	do
126			u.ä.
128		do	
129		do	
129a		do	
130		u.ä.	
131		u.ä.	
132			
133			
200			
134		u.ä. cf 314(168)	cf 314(168)

138			
		cf 314 (168)	cf 314 (168)
139			
142			
—			
142a			
143			
144			
145			u.ä.
146			
147			u.ä.
148			
149			
150			
151			
152			
152^{8}			
152^{4}			
164			
165			
166			
166b			
167			
		(gab usw.)	
		(tuḫ usw.)	
168			
169			

170			
171			
172			
172, 51ff.			
173			
176		do	
—			
181		do	
183		do	
187			
190		do	
190k		do	
191		do	
192			
195			
200			
201		do u.ä.	
202			
203		do	
205			u.ä.
206		do	
206a		do	
207			u.ä.
208			
209			
210			
211		do	
211a		do	
212		do u.ä.	
214		do	u.ä.

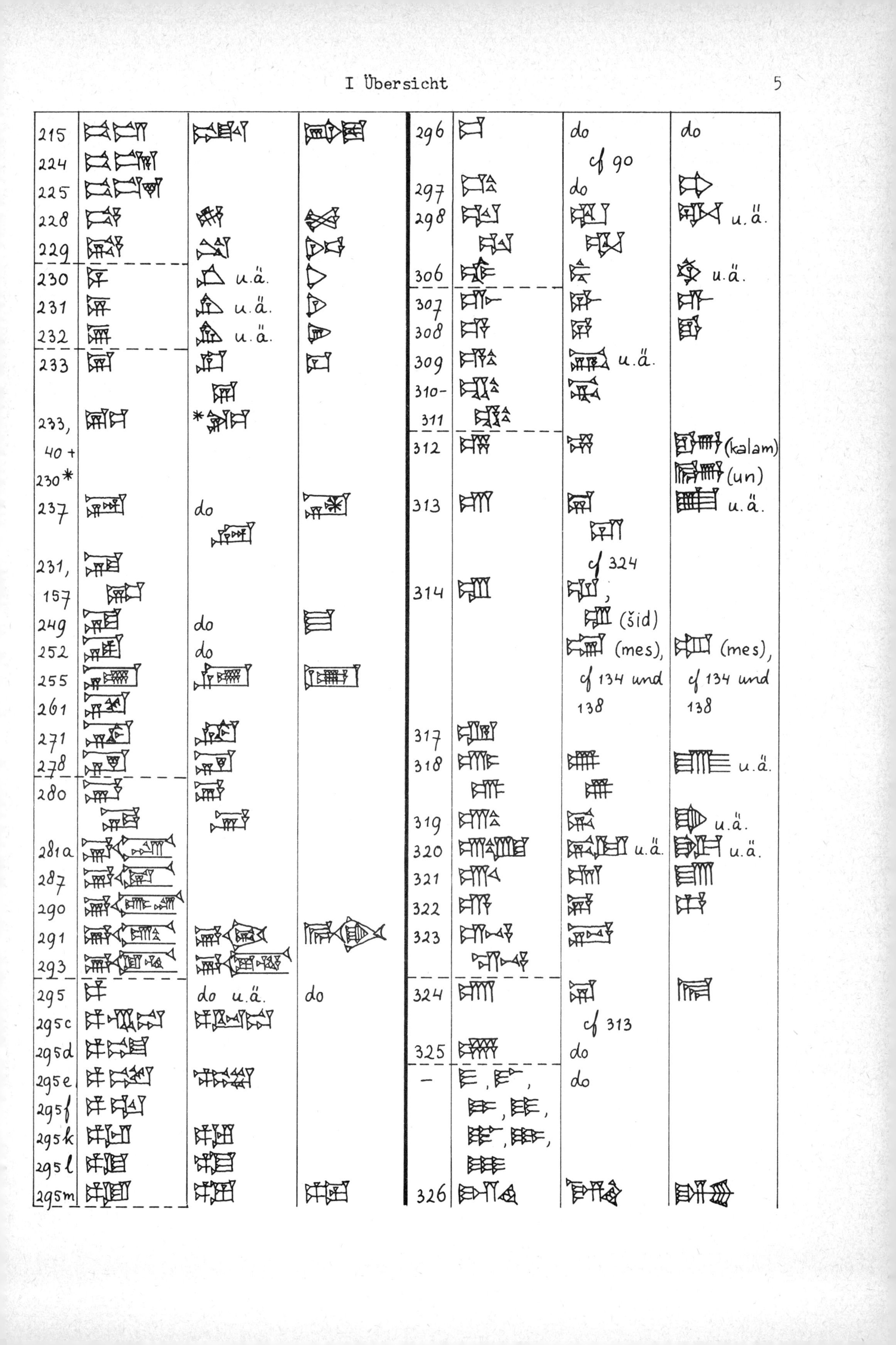

215			
224			
225			
228			
229			
230		u.ä.	
231		u.ä.	
232		u.ä.	
233			
233, 40 + 230*		*	
237		do	
231, 157			
249		do	
252		do	
255			
261			
271			
278			
280			
281a			
287			
290			
291			
293			
295		do u.ä.	do
295c			
295d			
295e			
295f			
295k			
295l			
295m			

296		do cf 90	do
297		do	
298			u.ä.
306			u.ä.
307			
308			
309		u.ä.	
310–311			
312			(kalam) (un)
313		cf 324	u.ä.
314		, (šid) (mes), cf 134 und 138	(mes), cf 134 und 138
317			
318			u.ä.
319			u.ä.
320		u.ä.	u.ä.
321			
322			
323			
324		cf 313	
325		do	
–	, , , , , ,	do	
326			

326a			
327			
328			u.ä.
329			
330			
331			
„152"			
332			
333			
334		= 1 + et	
336			
337			
338		u.ä.	cf KH §274
335			
339		do	
340			do
341			do
342			
343			
344			
345			
346			

347			u.ä.
348			
349			
350			
351			
352			
353		(auch šu-ut)	u.ä.
354			
354b			
354b			
355		u.ä.	
356			u.ä.
358			u.ä.
359	u.ä.	u.ä.	
362		do cf 377	
363		do	
366		do	
367			
371			u.ä.
–			
372			
373			
374			
375			
375, 45			

376			
376*			
377		do	
378			
—			
381		do	
383			
384			
390			
391			
392			
393			
		cf 381	cf 381 und 592
394			
394c			
395			
396			
			cf 465
405		do u.ä.	
397			
398			
406			
399			u.ä.
400			
		u.ä.	
401		u.ä.	u.ä.
402			
403			
404			
405			

406			
411		do	do
412			
413			
415			
417		do u.ä.	
418			
419			
420			
424			
423	u.ä.		
434a			
425			
426		do	
427		do	
428			
429			u.ä.
430			
—			
431			
433		u.ä.	
434			
434a			
435			
436		u.ä.	
437		do	u.ä.
438			
439			
440			
441			
444			
445			
446			

449			
450			
451			
452			
454			
455			u.ä.
456			
457			
459			
459		cf 536	
461			
461, 280			
462			
465			
467		= 53	
468		u.ä.	
469			
470		do	
471		do	
472			
473			
475		do	
480		do	do

		= 1 + et	
481		do	do
482		do	do
483			
484			
486			
487			
491			
494		u.ä.	(?KḪ §35)
510			
511			
513			
515			
522			
528			
529			
515, 9			
532			
533			
534			
535			
536		cf 459	(ku) (túg) (ḫun) („)
537			
537, 65+			

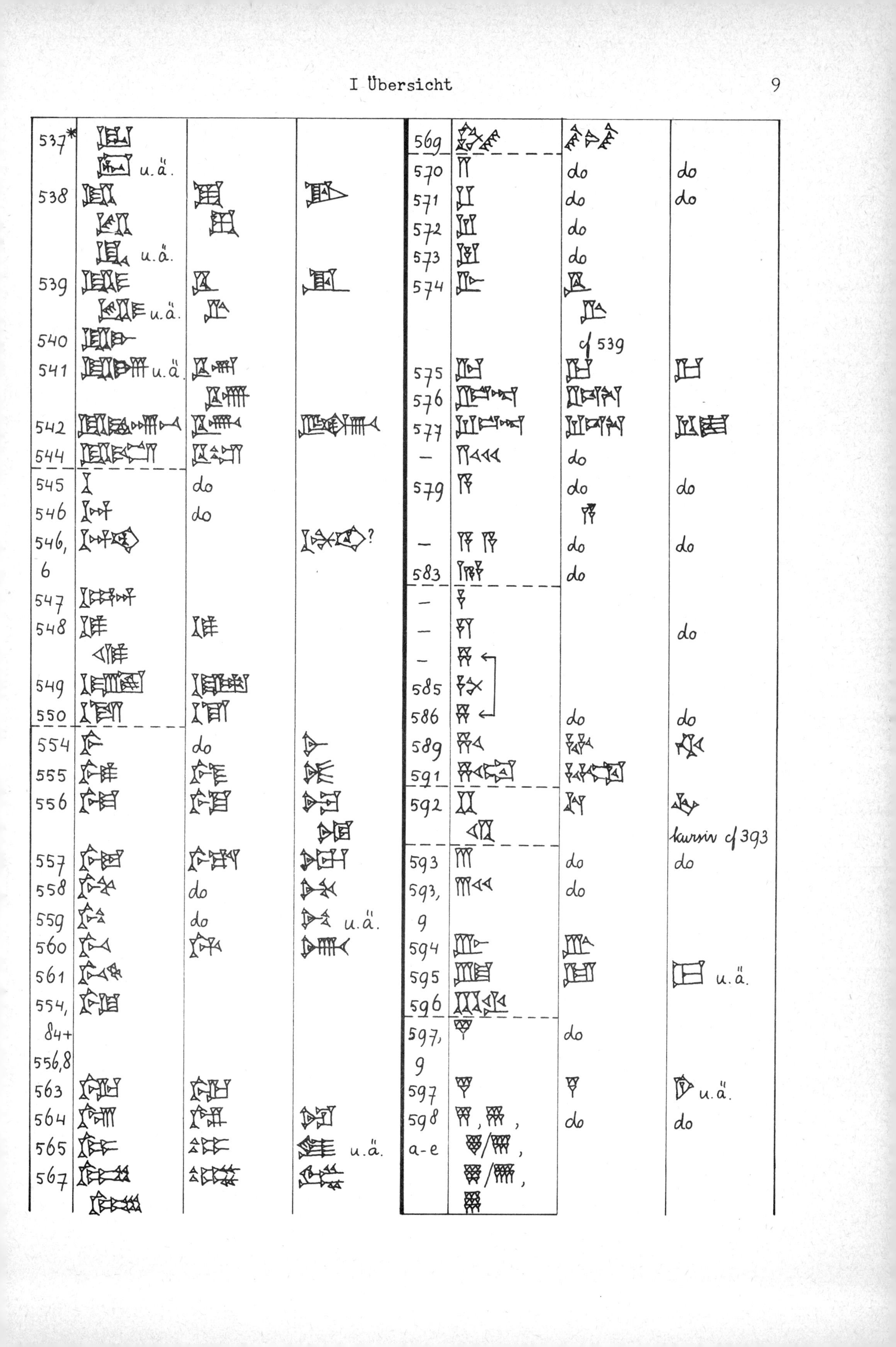

537*			
	u.ä.		
538			
	u.ä.		
539			
	u.ä.		
540			
541	u.ä.		
542			
544			
545		do	
546		do	
546, 6			?
547			
548			
549			
550			
554		do	
555			
556			
557			
558		do	
559		do	u.ä.
560			
561			
554, 84+ 556,8			
563			
564			
565			u.ä.
567			

569			
570		do	do
571		do	do
572		do	
573		do	
574			
		cf 539	
575			
576			
577			
–		do	
579		do	do
–		do	do
583		do	
–			
–			do
–			
585			
586		do	do
589			
591			
592			
			kursiv cf 393
593		do	do
593, 9		do	
594			
595			u.ä.
596			
597, 9		do	
597			u.ä.
598 a-e	, , ,	do	do

II ZEICHENLISTE (SIIBEN- UND WORTZEICHEN)

VORBEMERKUNGEN:

Für eine allgemeine Einleitung in die Keilschrift sei auf Vf. Babylonisch-assyrische Lesestücke pXXXVI-XLII verwiesen.

Numerierung der Zeichen nach Deimel Šumerisches Lexikon II (und Labat Manuel d'épigraphie akkadienne); in runden Klammern die Numerierung bei vSoden + Röllig Das akkadische Syllabar[2].

Für die Zeichenformen der Zeit Tiglatpilesers I. cf King AKA 30f. und Weidner AfO 16 201.

Die K(onsonant)-i-K(onsonant)-Zeichen können auch K-e-K gelesen werden. Beachte: miš = mèš, meš = míš, tin = tén.

Für die neuassyrischen K-V(okal)-K-V(okal)-Zeichen cf Deller OrNS 31 7-26 und 34 473, für "Lautwerte des Typs VKV", "Schreibungen VK statt KV", "Schreibungen KV statt VK", "Schreibungen V + KV statt VK" und "Schreibungen KVK statt der Lautverbindung KKV" id ib 31 186-196.

Nur in sumerischen Formeln akkadischer Texte belegte Wortzeichen stehen in Akkoladen.

Doppeltsetzung eines substantivischen oder adjektivischen Wortzeichens gibt den Plural an, Doppeltsetzung eines verbalen Wortzeichens iterative Verbalformen (vgl.  ; Schott ZA 44 296ff.).

Abkürzungen:

a. = alt (d.h. im allgemeinen altbabylonisch);

ass. = assyrisch;

bab. = babylonisch;

do = ebenso;

E.N. = Eigennamen;

j. = jung (d.h. im allgemeinen jünger als die altbabylonische Periode);

KḪ = Kodex Ḫammurapi;

Lw. = Lautwert(e);

üw. = überwiegend.

Die Fachliteratur wird auf die übliche Weise zitiert (siehe vSoden AHw pX-XVI und [567]f., sowie Vf. Handbuch der Keilschriftliteratur)

1  Lw. aš; rum; rù; dil (j.); ṭil (j.); ina (j., Präsens Verba primae Nun); in_6 (j.)

(1)

Zahl 1

AŠ = aplu, Sohn (E.N.)

AŠ = Aššur; ^{d}AŠ = Gott Assur, māt AŠ(^{ki}) = Assyrien

dili = (w)ēdu, einzeln, einzig

AŠ = ina, in

AŠ = nadānu, geben (E.N.)

$^{d/mul}$  = Dil-bat, Planet Venus; ^{uru}  = Dil-bat

(^{giš})  = aš-ti/te = kussû, Thron

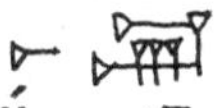 siehe n105 I

^{ú}  = aš-tál-tál = ardadillu, eine Pflanze

 = ina-eš, AHw 783b

(^{na4})  = aš-gì-gì = ašgikû, ein Stein

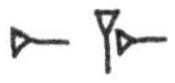 = AŠ-ME = šamšatu, Sonnenscheibe

 siehe n133

---

2  Lw. ḫal

(2) Zahl 2

didli, Pluralzeichen

$buru_8$ = arû, sich erbrechen

^{šim}buluḫ = baluḫḫu, ein Baum

^{lú}ḫal = bārû, Opferschauer

ḫal = ḫallu, Oberschenkel; das Zeichen ḪAL

ḪAL = šemû, hören (E.N.)

^{íd} 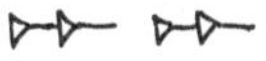 = ḪAL-ḪAL = Idiqlat (Tigris, Hiddekel)

(^{uru}) 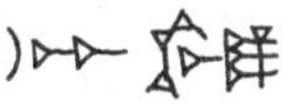 = ḪAL-ṢU = birtu, Festung (Deller OrNS 35 313); auch ḫalṣu, Festung??

---  Zahl 3

Mittelass. cf n472

---

3 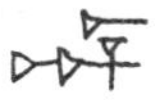 Lw. mug/k/q (j.); buk (j.); puk (j.)

(3) ^{šim}MUG = ballukku, ein Baum

^{lú}MUG = sasinnu, ein Handwerker; auch ^{lú} 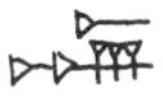 (ZADIM, n4); cf n104,6 und n411

---

4 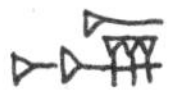 Siehe n3

---

5  Lw. ba

(4)  BA = nušurrû, Minderung

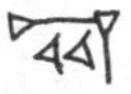 ba = qâšu, schenken

= ba-ba-za = <u>pappasu</u>, Gerstenbrei; +
(= ^{d}Íd = <u>itu</u>$_4$, <u>iti</u>$_4$) = <u>pappasītu</u>, weisser Gips o.ä.
= ba-an-du$_8$-du$_8$ = <u>banduddû</u>, Eimer
= ba-an-za = <u>pessû</u>, hinkend
giš = ba-rí-ga = <u>pars/šiktu</u>, Scheffel; cf n383
d = <u>Ba-Ú</u>(<u>ba</u>$_6$, <u>bu</u>$_{11}$, <u>ú</u>) (Limet Anthroponymie 356f.)
= níg-ba = <u>qīštu</u>, Geschenk; auch <u>qâšu</u>, schenken

--- usw. siehe n50ff.

6 Lw. <u>zu</u>; <u>ṣú</u> (üw. a.); <u>sú</u> (a.)
(5) zu = <u>edû</u>, wissen; <u>mūdû</u>, wissend
zu = <u>lamādu</u>, lernen
zu = <u>le'û</u>, können; <u>lē'û</u>, tüchtig
^{giš}ZU = <u>lē'u</u>, Tontafel
= abzu(ZU-AB) = <u>apsû</u>, Wassertiefe
= níg-zu = <u>iḫzu</u>, Lehre

--- siehe n97

--- siehe n103

--- siehe n99

7 Lw. <u>su</u> (üw. j.; für <u>Sa-am-su-</u> und <u>Su-mu-</u> cf Gelb OrNS 39
(6) 531ff.); <u>kus/š/z</u> (j.)
kuš = <u>mašku</u>, Haut. Determinativ vor Lederwaren
SU = <u>râbu</u>, ersetzen
su = <u>zumru</u>, Leib
= su-gu$_7$ = <u>ḫušaḫḫu</u>, Hungersnot; <u>sugû</u>, do; auch <u>sunqu</u>, do?
= su-si-ig = <u>šusikku</u>, Tierschinder
= SU-TAB-BA = <u>qirdu</u>, ausgezupfte Wolle; = ? , gegerbte Haut (Oppenheim OrNS 11 119ff.)
ki = Su-bir$_4$ = <u>Subartu</u> (Assyrien)
= kuš-gu$_4$-gal, AHw 516b, Reiner RA 63 170f.
lú = kuš-sar = <u>sēpiru</u>, Pergamentschreiber
mušen = su-tin = <u>s/sutinnu</u>, Fledermaus

8 Lw. <u>šun</u> (j.); <u>šin</u> (j.); <u>rug/k/q</u> (j.)
(7) (^{urudu})šen = <u>ruqqu</u>, Kessel
= šen-šen = <u>qablu</u>, Kampf
urudu = šen-tab-ba = <u>pāštu</u>, Beil

( ) ^{urudu} = šen-tur = tamgusu, kleiner Kessel

---

9 Lw. bal; pal; bùl (ass. j.); pùl (ass. j.)

(8) ^{šim}BAL = ballukku, ein Baum

bal = enû, ändern

{ bal = etēqu, passieren }

bal = gērû, Feind (Saporetti Onomastica I 306f.)

bal = nabalkutu, überschreiten, sich empören

bal = naqû, opfern

bala = palû, Regierung(sjahr)

(^{giš})bal = pilakku, Spindel

^{ki} = Bal-til bzw. Aššur (Vf. BiOr 28 18a)

($^{\text{ku}_6}$) = bal-gi = raqqu, Schildkröte

= bal-ri = ebertu, jenseitiges Ufer

---

10 Lw. ád/t/ṭ (j.); gír (j.)

(9) ^{šim}GÍR = asu, Myrte

gír = patru, Messer, Schwert; gír-a-nu = patra-a-nu, eine Pflanze

GÍR = (?) zaqātu, stechen

^{ki} = Gír-su = Giršû (Vf. BiOr 28 21a)

= gír-AN-BAR = patru, Messer, Schwert (Cagni L'epopea di Erra 104)

= gír-tab = zuqaqīpu, Skorpion

= gír-tab-lú-u$_x$-lu = girtablilu o.ä., Skorpionmensch

= gír-GAG = karṣ/zillu, Stilett o.ä.

= ul$_4$-gal = magal, sehr

(^{lú}) = gír-lá = ṭābiḫu oder nāš patri, Schlächter (Brinkman OrNS 34 249)

---

11 Lw. búl (ass. j.); púl (ass. j.)

(10) búr = pašāru, lösen; pišru, Lösung; piširtu, Lösung o.ä.

= nam-búr-bi = namburbû, Löseritus

---

12 Lw. tar; ṭar; tara (j.); tír; ṭír (j.); kud/t (j.); qud/ṭ (j.); ḫas/ṣ/š/z (j.); šil (j.); sil (j.)

(11) kud = nakāsu, abschneiden; niksu, das Abschneiden

kud, tar = parāsu, trennen; parsu, abgetrennt; pirsu, Zug

sila = sūqu, Strasse

( ) = kud-kud(-du) = ḫummuru, verkümmert

^{ú} = tar-muš$_8$, eine Pflanze

( ) ( ) = sila-dagal(-la) = ribītu (o.ä.), breite Strasse, Platz

ú = tar-muš, eine Pflanze

---

13 Lw. an; ìl; èl (a.)

(12) An = Anu (Himmelsgott)

an = anu, das Zeichen AN

dingir = ilu, Gott. Determinativ vor Götternamen (Umschrift d)

an = šamû, Himmel (AN-ú usw.)

siehe n133

= Dingir-maḫ (nicht dMaḫ) = Bēlet-ilī (Krecher Sum. Kultlyrik 199f., Biggs TCS 2 45f.)

= an-na = annaku, Zinn

= AN-TI-BAL = bušṭītu, ein Insekt

= AN-BAR = parzillu, Eisen

= an-nu-ḫa-ra = alluḫaru, ein Farbstoff

/ siehe n107

= an-ta = elû, oben befindlich; eliš, oben; elēnu, do

= an-ta-šub-ba = miqit šamê (auch antašubbû?), Fallsucht?

= an-ta-lù = attalû, Verfinsterung

= an-zaḫ = anzaḫḫu, Fritte

(na4) = AN-NE = mil'u, Salpeter

= AN-NE = muṣlālu, Mittag

siehe n203

= AN-gub-ba = angubbû (? oder dingirgubbû?), CAD A/II 117f., Heimpel Tierbilder 323

= An-tum; auch ìl-tum, Göttin

siehe n295

= an-dùl = andullu, Schirm; ṣulūlu, do

= AN-MA = nalbaš šamê, Himmelsmantel, Wolkenkleid

= An-gal, Anu-rabû (nicht dGAL; Vf. BiOr 28 19b)

siehe n367

= dingir-šà-dib-ba, Kunstmann Gebetsbeschwörung 45ff.

= An-šár; AN-ŠÁR (nicht dŠÁR) = Aššur, māt AN-ŠÁRki = Assyrien. Cf n212

= AN-MI = attalû, Verfinsterung

( ) (^{mul}) = an-KU-a-meš, CAD A/II 124, ŠL IV/2 n28
ú ( ) = an-ḫúl(-la) = anḫullu, eine Pflanze
= AN-ZA-GÀR = dimtu, Turm; Za/iqīqu (Traumgott)
^{na_4} = AN-ZA-GUL-ME, vSoden ZA 45 47

--- siehe n73

14 Ligatur Aš-šur

--- siehe n38

15 Lw. ka; pi/e$_4$
(15) cf n19+ kir$_4$ = appu, Nase
26 inim = aw/mātu, Wort; en(bēl) inim = bēl aw/māti, Gegner
KA vor ḫadê = bussurtu, (Freuden)botschaft
ka = pû, Mund
dug$_4$, du$_{11}$ und = dug$_4$/du$_{11}$-ga = qabû, sprechen; qību, Spruch; qibītu, do
gù = rigmu, Geschrei
^{na_4}KA = ṣurru, Obsidian, Feuerstein
gù = šasû, rufen
zú = šinnu, Zahn, Elfenbein
= ka-tar = dalīlu, Lob
= ka-tar = katarru, eine Art Wandschwamm
= zú-kud = našāku, beissen
= du$_{11}$-du$_{11}$ = dabābu, prozessieren; en(bēl) du$_{11}$-du$_{11}$ = bēl dabābi, Gegner
= KA-KA-SI-GA, Landsberger MSL 9 145f.
= KA-inim-ma = šiptu, Beschwörung (cf AHw 420a)
= ka-bar = kaparru, Junghirt
= KA-nu-gar-ra = nullâtu, Gemeinheit
^{na_4} = KA-gi-na = šadânu, Hämatit; + = š. ṣab(i)tu(dib-ba), mattes H.
= zú-si-ga = buqūmu, Schur
= ka-pirig = (w)āšipu, Beschwörer
= ka-ta-dug$_4$-ga = kataduggû, Ausspruch
= KA-kešda = kiṣru, Knoten
= ka-duḫ-ù-da = pīt pî, Mundöffnung
^{uzu} = KA-IZI = šumû, gebratenes Fleisch
^{dug} = KA-DÙ = piḫu, ein Bierkrug

= KA-dù-a = bussurtu, (gute) Nachricht

^{ú} = ka-zal = kazallu, eine Pflanze

{ = KA-gá-gá = ragāmu, gerichtlich klagen}

$^{\text{ku6}}$ = ka-mar = kamaru, ein Fisch

= ka-luḫ-ù-da = mīs pî, Mundwaschung

= KA-é-gal = šillatu, Blasphemie

= gù-dé = šasû, rufen

(^{giš}) = KA-KARA$_4$ = kannaškarakku, eine Art Tisch

= KA-ŠÀ, Kraus ZA 43 111

= ka-pirig = (w)āšipu, Beschwörer

^{d} = KA-DI = Ištaran (Lambert ZA 59 100ff.)

= ka-kù-gál = kakugallu, Beschwörer

= kir$_4$-ḫab = būšānu, Skorbut (Wilson RA 60 47ff.)

(^{lú}) = ka-zì-da = kaṣṣidakku, Müller

^{lú} = kir$_4$-dib = kartappu, ein Beamter

= ka-dib-bi-da = kadibbidû, Mundlähmung o.ä.

( ) = zú-lum(-ma) = suluppu, Dattel

( ) ^{ki} = zú-lum-(ma-)NI+TUK^{ki} = asnû, D/Tilmun Dattel

= KA-a-ab-ba = imbu' tâmti, Koralle(nkalk)

= inim-gar = egirrû, Reputation

---

16 — tu$_6$ = šiptu, Beschwörung; tû, do

= tu$_6$-dug$_4$-ga = tuduqqû, Beschwörung

---

17 — uš$_{11}$ = kišpu, Zauber; ruḫû, ± do; rusû, ± do (stereotype Reihe kišpu ruḫû rusû)

^{lú} = uš$_{11}$-zu = kaššāpu, Zauberer; ^{munus}uš$_{11}$-zu (bzw. munus-uš$_{11}$-zu) = kaššāptu, Hexe

= uš$_{11}$-búr-ru-da, eine Art Beschwörung (Ungnad AfO 14 266)

---

18 — nundum u.ä. = šaptu, Lippe

auch wie 18*

18* — su$_6$ = ziqnu, Bart

19+26 (17) — * bzw. — mit folgendem Pseudo-Logogramm PÙ-ZUR$_8$ = puzru, Geborgenheit (E.N.); statt PÙ-ZUR$_8$ häufig KA-ZUR$_8$ (n15) geschrieben

26 (17) šud$_x$ = ikribu, Gebet

29* siehe n98

---

30 (18) bún = nappaḫtu, Empörung o.ä.

---

31 KA×MI = adāru N, in Unruhe geraten

---

32 (19) Lw. em$_4$ (bab. j.)
eme = lišānu, Zunge
^{lú} = eme-sag-meš = lišān rēšēti, Rhetor o.ä.
= eme-DIR = ṣurāru, Eidechse
= eme-ŠID = do
= eme-ŠID-zi-da = anduḫallatu, eine Art Eidechse
= Eme-gi$_7$ = Šumeru; māt Šumeri = Land Sumer
( ) = eme-sig(-ga) = karṣu, Verleumdung

---

35 (21) Lw. nag/k/q (j.)
nag = šatû, trinken

---

36 gu$_7$ = akālu, essen (Vf. OrNS 36 429ff., Landsberger MSL 4 18)

---

38 (22) Lw. e/iri; rí/é
uru = ālu, Stadt. Determinativ vor Ortsnamen. Auch Lw. ālu usw. (j.)
= URU-ŠE = kapru, Dorf (Postgate Iraq 32 33)
= Eri-du$_{10}$
= eri-īnu usw., Zeder
^{mušen} = uru-ḫul-a = qadû, Pterocles
= uru^{ki} = ālu, Stadt

---

40 ukkin = puḫru, Versammlung

---

41 (^{giš})banšur = paššūru, Tisch

---

43 (23) Lw. ru$_4$ (bab. j.)

---

44 ^{d} = Asal/Asari-lú-ḫi (Marduk; Sjöberg TCS 3 80)

---

46 (23b) ^{ú}šakira = šakirû, Bilsenkraut
^{ú} = GUR$_5$-UŠ = (a)šarmadu, eine Pflanze

49* Lw. qàl (j.); sùk (ass. j.)
(24) (^{lú})QÀL = qallu, klein
= u$_x$-lu = alû, ein Dämon

---

50 (^{lú})arad, ìr = (w)ardu, Knecht; auch ^{sag}arad
(25- níta = zikaru, Mann
25a) (^{d}) = Ìr/Èr-ra

---

52 iti, itu = (w)arḫu, Monat; cf CAD A/II 255a.
Monatsnamen (cf Parker + Dubberstein Babylonian chronology 626 B.C. - A.D. 75, Langdon Babylonian menologies):
I. ^{iti} ( ) = bár(-zag-gar) = nisannu; auch ^{iti} ( ) = bar(-sag-sag)
II. ^{iti} ( ) = gu$_4$(-si-sá) = aj(j)aru
III. ^{iti} ( ) = sig$_4$(-ga) = simanu; auch ^{iti} = sig
IV. ^{iti} ( ) = šu(-numun-na) = Du'ūzu
V. ^{iti} ( ) = NE(-NE-gar) = abu
VI. ^{iti} ( ) = kin(-^{d}Innin-na) = elūnu, elūlu, ulūlu
VIa. Ebenso + II-kam(-ma), Schalt-Elul
VII. ^{iti} bzw. ( ) = du$_6$/DUL(-kù) = tašrītu
VIII. ^{iti} ( ) = apin(-du$_8$-a) = araḫsamna
IX. ^{iti} ( ) = gan(-gan-na) = kislimu
X. ^{iti} ( ) = ab(-ba-è) = ṭebētu, kinūnu
XI. ^{iti} ( ) = zíz(-A-AN) = šabaṭu
XII. ^{iti} ( ) = še(-KIN-kud) = addaru
XIIa. ^{iti} (dirig = diri o.ä.)-še(-KIN-kud), Schalt-Adar

---

53 Lw. šaḫ (j.); šiḫ (j.); siḫ (j.)
(26) šaḫ = šaḫû, Schwein
= šaḫ-tur = kurkuzannu, Ferkel

---

54 buru$_x$(EBUR) = ebūru, Ernte(zeit)
siehe n318

---

55 Lw. la
(27) (^{dug})šika = ḫaṣbu, Scherbe; ḫaṣabtu, do
la = lalû, Fülle, Schönheit
= šika-kud-da = išḫilṣu, Scherbe
^{d} = La-aṣ (Fitzmyer Sefîre p35)
^{dug} = la-ḫa-an = laḫannu, Trinkschale

--- siehe n59

56 (28)

Lw. pin (ass. j.)

(^{giš}) apin = epinnu, Saatpflug

uru$_4$, apin = erēšu, (Feld) bestellen; durch Logogrammverwechslung auch erēšu, verlangen

(^{lú})engar = ikkaru, Landmann

uru$_4$ = uššū, Gründungsplatte, Fundament

(^{giš}) = apin-TÚK-KIN = ḫarbu, Umbruchpflug

---

57 (29)

Lw. maḫ; miḫ (j.)

maḫ = ṣīru, erhaben

siehe n13

= ^{lú}maḫ = ṣīru, Häuptling, und = lú-maḫ = lumaḫḫu, ein hoher Priester

---

58 (30)

Lw. tu; ṭú (üw. a.)

ku$_4$ = erēbu, eintreten

tu^{mušen} = summatu, Taube

(^{lú}) = ku$_4$-é = ērib bīti, "Tempelbetreter"

mušen = tu-gur$_4$ = sukanninu u.ä., Wildtaube

---

59 (31)

Lw. li/e; (gúp zu streichen, cf AHw 298a und Hulin Iraq 25 52 18)

^{giš}li, ^{šim}li, $^{giš-šim}$li = burāšu, Wacholder

= li-tar = abukkatu, eine Pflanze

^{giš} = le-u$_5$-um = lē'u, Tafel

= li-dur = abukkatu, eine Pflanze

= li-dur = abunnatu, Nabel

---

60 (32)

Lw. pap (j.); bab/p (j.); kúr (j.)

pap = aḫu, Bruder (E.N.); so auch in PAB-bu-u usw. (Deller OrNS 34 262)

kúr = nakāru, anders, feindlich s./w.; ^{lú}en-kúr = bēl nakāri, Feind (cf Harper ABL n1105 8.20.35 sowie AHw 120a)

(^{lú})kúr = nakru, Feind; MUNUS-kúr siehe n554

pap = napḫaru, Summe

PAP = naṣāru, bewachen (E.N.)

siehe n60,24ff.

( ) = dim$_4$(-mà) = sanāqu, herankommen

= pa$_5$ (PAP+E) = palgu, Kanal (cf CAD A/II 485b)

^{d} = Pap-sukkal

, , = munu$_4$ = buqlu, Malz (Fossey Manu-

( ) el II n35017ff.); + (= SAR) = bāqilu, Mälzer

ᵈ = Pa₄-niₓ(NÌGIN)-gar-ra (Krecher Sum. Kultlyrik 130f.)

= nam-kúr = nakrūtu oder nukurtu? Feindschaft

60,24 ff. (33)

Lw. púš (j.)

pap-ḫal = pašāqu, beschwerlich s./w.; pušqu, Not

pap-ḫal = purīdu, Bein; auch papḫallu bzw. paḫallu?

60*

ᵍⁱˢgàm, zubu = gamlu, Krummholz

--- siehe n72

---

61 (35)

Lw. mu; ia₅ (j.)

Suffix 1. Ps. Sg. (-ia₅, -i₁₄)

mu = aššu(m), wegen, weil

mu = nadānu, geben (E.N.)

mu = nīš, (schwören) bei

ˡᵘ́muḫaldim = nuḫatimmu, Koch

mu = šattu, Jahr; auch mu-I-kam (Vf. BiOr 28 18a)

mu = šumu, Name, Zeile; St. cstr. šùm; mu-meš bab. j. auch šuātu, ihn, diesen (Rebusschreibung; die Namen = šum/wātu)

mu = zakāru, nennen, sprechen; zikru, Wort, Name

= mu-an-na = šattu, Jahr

= mu-nu-tuku = munutukû, kinderlos

siehe n206

= Šumu-líb-ši (nicht Mu-kal-lim; Lambert JCS 11 112)

= mu-sar = muš/sarû, Garten; Inschrift

= mu-im-ma = šaddaqdiš, voriges Jahr (Deller OrNS 33 90)

---

62 (36)

Lw. qa (j.; a. nur in Mari und Ešnunna)

sìla = qû (St. abs. qa), Liter; ᵍⁱˢsìla Messgefäss dieser Grösse

ᵈᵘᵍ = sìla-gaz = silagazû o.ä., Halblitergefäss

= sagi(SÌLA-ŠU-DU₈) = šāqû, Mundschenk (Jacobsen ZA 52 119); auch ŠU-SÌLA-DU₈(-A), n354

(Für den (šitaₓ)-Priester cf Renger ZA 59 129ff.; für ( ) cf n233,40)

63a (37)

Lw. kád/t (j.); gát (j.)

kád = kaṣāru, binden (E.N.)

63c Lw. kàd/t (ass. j.); gàt (ass. j.)
(38) kàd = kaṣāru, binden (E.N.)

---

66 ^u^númun = elpetu, Halfa-Gras

---

67 Lw. gil (j.); kíl (j.)
(39) gib = parāku, sich quer legen

63d Lw. tad/t (bab. j.); dad/t (bab. j.); ṭat (bab. j.)
(40) tak_4 = ezēbu, verlassen

--- siehe n70

---

68 Lw. ru; šub/p (j.)
(41) šub = maqātu, fallen; miqtu, Sturz; miqittu, do
šub = nadû, werfen; nīdu, das Werfen
ru = širiktu, Geschenk (E.N.)
und siehe n296

--- siehe n75

---

69 Lw. be; bi_4 (ass. a.); bad/t/ṭ; pát/ṭ (j.); bít (j.); pít (j.); mid/t/ṭ (j.); til; zis/z (j.); úš (a.); sun (j.); qìt (ass. j.)
(42) BE = (w/m)âṣu, gering s./w.
BE = bêlu, beherrschen
úš, múd = dāmu, Blut
^d^Idim = Ea (bab.; Nötscher Ellil 1)
èše^iku^ = eblu, 21600 qm (6 ikû)
^d^Bad = Enlil, Ellil, Illil (ass.; Nötscher Ellil 1)
til = gamāru, vollenden; gamru, vollständig; gimru siehe n332
idim = kabtu, gewichtig
til, sumun, sun = labāru, alt s./w.; labi/īru, alt
úš = mâtu, sterben; mītu, tot (beides auch = ba-úš); mūtu, Tod
idim = nagbu, Grundwasser
bad = nesû, sich entfernen
úš = peḫû, verschliessen
bad = petû, öffnen; pītu, Öffnung
til = qatû, zu Ende gehen; qītu, Ende; taqtītu, Beendigung
BE = sekēru, einschliessen (cf Salonen JNES 9 109)
idim = šegû, toll s./w.
BE = šumma, wenn; auch BE-ma = $šum_4$-ma

lú ( ) = til-(la-)gíd-da = qīpu, Bevollmächtigter
= bad-bad = dabdû, Niederlage (cf n449 bad_5-bad_5)
= lugud(BE-UD) = šarku, Eiter
= nam-úš = mūtānu, Seuche
= adda(LÚ-ÚŠ) = mītu, Toter; pagru, Leichnam

---

70 Lw. na
(43) na = aw/mīlu, Mensch; na-a-nu = amīla-a-nu, eine Pflanze
na = qutrēnu, Weihrauch
(lú) = na-GAD = nāqidu, Hirte
na_4 = na-rú-a = narû, Stele
na_4 = na-zà-ḫi-li-a = urṣu, Mörser

---

71 Lw. šir (j.); šùr (ass. a., in A-šùr)
(44) šir = išku, Hode
ki = ŠIR-BUR-LA = Lagaš

---

72 Lw. kul (j.); qul (j.); gúl (j.); zir (j.)
(45) numun = zēru, Same, Saat, Saatfeld; = ŠE-NUMUN (šenumun?) = zēru, Saat(feld)
ki = Kul-aba_4 = Kullaba

--- / usw. siehe n5ff.

---

73 Lw. ti; ṭì (a.); dì (a.); te_9
(46) ti und = ti-la = balāṭu, leben, Leben; bulṭu, Leben
ti = leqû, nehmen
ti = ṣēlu, Rippe

--- siehe n75

---

74 Lw. maš; mas/ṣ (j.)
(47) MAŠ = ašarēdu, erster (E.N.)
(d)Maš = Ninurta; siehe auch n13
(uzu) = maš-sìl = naglabu, Hüfte
(lú) = maš-maš = (w)āšipu, Beschwörer; mašmašu, do
d = MAŠ-MAŠ = Nergal
(lú) und = maš-EN-GAG bzw. maš-GAG-EN = muškēnu, Untergebener, Armer
= maš-kán = maškanu, Tenne
= maš-tab-ba = māšu, Zwilling; tu'āmu, do
= maš-dà = ṣabītu, Gazelle

= mas-sù = massû, Anführer o.ä.
= maš-ḫuš = kalbānu, ein Strauch

74, 100 bán = sūtu, Seah (10 l (qû), später 6 l; ass. cf Saporetti RSO 44 273ff.); ^{giš}bán Messgefäss dieser Grösse, bab. j. auch Lautwert sūtu (Akk.Syll.^{2} n157)

---

74 (48)

Lw. bar; pár
bar = aḫû, fremd
bar = bêru, auswählen
bar = (iš)pallurtu, Kreuz
BAR(? ŠÚ?) = kidennu, Privileg, Schutz (Saporetti Onomastica II 130f.)
bar = mišlu, Hälfte
bar = qilpu, Schale; qulēptu, Schuppenhaut
bar = (w/m)uššuru, loslassen
bar = zâzu, verteilen
(^{túg}) = bar-si = paršigu, Kopfbinde
udu = BAR-GAL = parru, Lamm
túg = BAR-DIB = kusītu, Gewand
udu = BAR-MUNUS = parratu, weibliches Lamm
túg = bar-sig = paršigu, Kopfbinde

74, 238

^{íd}Idigna = Idiqlat (Tigris, Hiddekel)
dalla = kamkammatu, Ring

--- siehe n97

---

75 (49)

Lw. nu; là (j.)
nu = lā, nicht; ùl, do
nu = ṣalmu, Bild
= nu-mu-su = almattu, Witwe
= nu-bar = kulmašītu, eine Kultdirne
= nu-èš = nêšakku, ein Kultpriester (cf Seux RA 59 101ff.)
= nu-bànda und = nu-bàn-da = la/uputtû, Leutnant o.ä.
(^{giš}) = nu-úr-ma = nurmû, Granatapfel(baum)
(^{lú}) = nu-kiri$_6$ = nukaribbu, Gärtner
= nu-luḫ-ḫa = nuḫurtu, Asa foetida, Asant
(^{giš}) = nu-kúš-ù = nukušû, Türzapfen o.ä.
^{d} = Nu-dím-mud (Ea)

(⟨sign⟩)   (munus)⟨signs⟩ = nu-gig = qadištu, "Geweihte" (eine

                  Kultdirne, Hebamme)

                  ⟨signs⟩ (⟨sign⟩) = nu-me(-a) = balu, ohne

                  ⟨signs⟩ = nu-síg = ekūtu, Waise

---

76   ⟨sign⟩   Lw. máš (j.); kun₈ (bab.)

(50)   máš = barû, schauen; bīru, Opferschau

                  máš = șibtu, Zins, eine Steuer

                  máš = urīșu, Bock

                  ⟨signs⟩ = máš-zu = kizzu, (junger) Ziegenbock

                  ⟨signs⟩ = máš-níta = urīșu (oder daššu?), Bock (Landsberger

                      MSL 8/I 58)

                  ⟨signs⟩ = máš-tur = lalû, Zicklein

                  ⟨signs⟩ = máš-anše = būlu, Vieh

                  ⟨signs⟩ = máš-gal = daššu oder urīșu, Bock (MSL 8/I 58f.)

                  ⟨signs⟩ = máš-šu-gíd-gíd = bārû, Opferschauer

                  ⟨sign⟩ ◁   siehe ⟨sign⟩ ◁   (n85)

                  ⟨signs⟩ = máš-ge₆ = šuttu, Traum

                  ⟨signs⟩   (⟨sign⟩) = máš-ḫul-dúb(-ba) = mašḫulduppû,

                      Sündenbock

---

77   ⟨sign⟩   Lw. kun (j.)

(51)   kun = zibbatu, Schwanz

                  ⟨signs⟩ = kun-dar = šakkatirru, eine Art Eidechse

                  ⟨signs⟩ = kun-dar-gurun-na = anduḫallatu, eine

                      Art Eidechse

                  ⟨signs⟩ (⟨sign⟩) = kun-sag(-gá) = muḫru, ein Kultbau

                  ⟨signs⟩   siehe n296

---

78   ⟨sign⟩   Lw. ḫu; pag/k/q (j.); bak/q (j.); baḫ (j.)

(52)   ⟨sign⟩   mušen = ișșūru, Vogel. Determinativ nach Vogelnamen

                  lú⟨signs⟩ = mušen-dù = usandû, Vogelfänger

                  ⟨signs⟩ = mušen-ḫabrud-da = ișșūr ḫurri, Tadorna

---

78a   ⟨sign⟩   Lw. u₅ (j.)

(53)   u₅ = rakābu, reiten

---

79   ⟨sign⟩   Lw. nam; sim (j.); bir₅

(54)   ⟨sign⟩   NAM = ana, nach, zu

                  sim = napû, sieben, seihen; šaḫālu, do

                  nam = pī/āḫatu, Distrikt; lú⟨signs⟩ = bēl(en) pī/āḫati,

() Verwalter, Statthalter; ^{lú}nam = pāḫatu, do

šen^{mušen} = sinūntu, Schwalbe

nam = šīmtu, Schicksal. nam- bildet Abstrakta, siehe unter dem jeweiligen zweiten Zeichen

 = nam-tar = namtaru, ein Dämon; ^{d}Nam-tar, der "Todesengel"

$^{\text{giš/ú}}$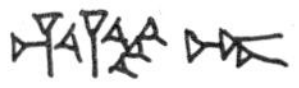 = nam-tar = pillû, Mandragora; auch ^{ú}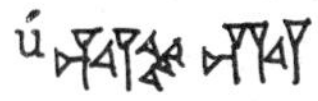 = nam-tal

 = nam-tag-ga = arnu, Sünde

 = nam-érim(NE-RU) = māmītu, Eid, Bann; +  = nam-érim-búr-ru-da = namerimburrudû, Bannlösungsritus

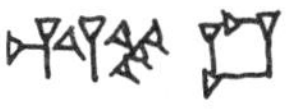 = nam-rim = māmītu, Eid, Bann

---

80  Lw. i/eg/k/q; gál (j.)

(55) gál = bašû, sein

^{giš}ig = daltu, Tür

 (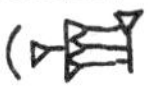) = níg-gál(-la) = būšu, bušû, Eigentum

---

79a  buru$_5$ = erbu usw., Heuschrecke

(54a)  ^{mušen} = buru$_5$-ḫabrud-da = iṣṣūr ḫurri, Tadorna

---

81 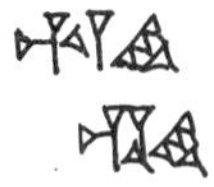 Lw. mud/t/ṭ (j.; cf Brinkman PHPKB 174)

(56) mud = da'mu, dunkel

mud = eqbu, Ferse

mud = palāḫu, fürchten

mud = parādu, erschrecken

(^{giš})mud = uppu, rechtwinkliges Gerät o.ä.

---

82  sa$_4$ = nabû, nennen

(57)

---

83  Lw. rad/t/ṭ (j.); rud/ṭ (j.)

(58) šita = rāṭu, Bewässerungsrinne

súd = s/zâku, zerstossen

---

84  Lw. zi/e; ṣí/é (a.); sí/é (a.)

(59) zi = napištu, Seele; UD-zi(napišti) cf Pauly-Wissowa II/18 2136

zi = nasāḫu, ausreissen; nasḫu, ausgerissen

zi und  = zi-ga = tebû, sich erheben; tību, Angriff (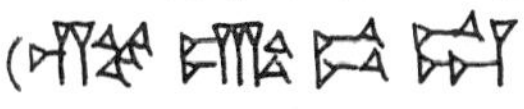 = zi-ga kašdu, erfolgreicher Angriff)

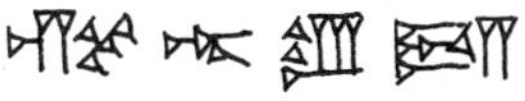 = zi-ku$_5$-ru-da = zikurudû, eine Art Zauber

= zi-in-gi = kiṣallu, Knöchel
= zi-ga = ṣītu, Verlust (zi-ga = tebû siehe oben)
na₄ = zi-bītu, ein Stein (Köcher AfO 20 157)
siehe n296
siehe n334
= níg-zi = kittu, Recht

---

85 Lw. gi/e; qì/è (a.)
(60) gi = qanû, Rohr; auch ein Längenmass (3 m; 6 ammatu, spätbab. 7 ammatu). Determinativ vor Rohrsachen. siehe n296, siehe n467
gi = šalāmu, heil s./w. (E.N.)
= gi-zú-lum-ma = kurṣiptu, Brennessel?
= gi-na = ginû, regelmässiges Opfer
= gi-na = kânu, fest s./w.; kīnu, fest
= gi-sa = kiššu, Rohrmatte
= gi-gur = pānu, Korb
= gi-gur-da = maššû, Tragkorb o.ä.
= gi-dub-ba = qan ṭuppi, Schreibrohr
= gi-du₈ = paṭīru, Tragaltärchen
= gi-izi-lá = gizillû, Fackel
= dusu(GI-ÍLA) = tupšikku, Tragkorb o.ä.
= gi-gíd = ebbūbu, Flöte; malīlu, do
lú = gi-bùr = ṭupšarru, Tafelschreiber (Reiner JNES 26 199f.)
= gi-ḫul = giḫlû, Trauerriten o.ä.
= šutug(GI-PAD) = šutukku, Rohrhütte
= níg-gi-na = kittu, Recht

---

86 Lw. ri/e; dal (j.); ṭal; tal; ṭala (j.)
(61) TAL = tallu, Querholz o.ä.; giš TAL do (wohl nicht gištallu)
cf n103 = dal-ba-(an-)na = birītu, Zwischenraum
= dal-dal = muttaprišu, geflügelt (cf Labat OrNS 39 187)
= ri-ri-ga = miqittu, Sturz, Kadaver
= dal-ḫa-mun = ašamšūtu, Staubsturm

---

87 Lw. nun; zil (j.); ṣil (j.); síl
(63) NUN^ki = Eridu; auch = Bābilu (Babel)
(^lú)nun = rubû, Fürst

ᵈ… = Nun-gal-meš = Igīgū (Göttergruppe, Kienast AS 16 142)
… = abgal(NUN-ME) = apkallu, Weiser

87a (63a) — tùr = tarbaṣu, Viehhof

---

88 (64) — Lw. kab/p; qáb/p (j.; cf Landsberger Date palm 33 Anm. 106); gáb/p
gùb = šumēlu, linke Seite
ˡᵘ́… = kab-sar = kab/pšarru, Graveur
… siehe n334

---

88 (65) — Lw. ḫúb/p; kùp (j.)
ˡᵘ́… u.ä. = ḫúb-bu u.ä. = ḫuppû, Weber
… siehe n554

--- siehe n480

---

89 (66) — Lw. ḫub/p; (qúp zu streichen, cf CAD Ṣ 60b)

---

90 (67) — Lw. gat (j.); qàd/t/ṭ (j.); kad/t (j.); kid/t_9 (ass. j.; kid_9 in kidmuru); (kot?/kút? zu streichen)
gada = kitû, Flachs, Leinen(kleid); ᵗᵘ́ᵍgada (bzw. túg-gada) = kitû, Leinenkleid. gada Determinativ vor Leinengewändern (Ungnad ZA 31 261)
ˡᵘ́GAD (bzw. lú-GAD) = pētû ?? (ŠL 63,10, AHw 861b und 951a)
… = gada-maḫ = gad(a)maḫu, Pracht-Leinengewand
(ᵗᵘ́ᵍ)… = gada-lal = gadalalû, eine Art Leinengewand

92a — akkil = ikkillu, Wehklage

92b — umbin = ṣupru, Fingernagel

---

93 — ᵍⁱˢ̌šinig(GAD-NAGA) = bīnu, Tamariske

--- siehe n60

---

94 (68) — Lw. dim; ṭim; tim; tì (j.)
… (ᵏⁱ) = Dim-kur-kur-ra (rikis mātāti), Bezeichnung für Babel (Vf. Asarhaddon p91)

---

95 (69) — Lw. mun (j.)
mun = ṭābtu, Salz; auch ṭābtu, Wohltat

96 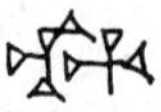 bulug = pulukku, Nadel

---

97 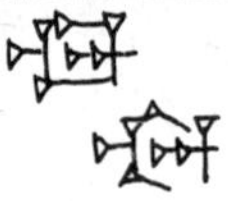 Lw. ag/k/q
(70) ak = epēšu, machen
dAG = Nabiu, Nabû (Nebo); Ligatur 
 = kìd-kìd-bi, der dazugehörige Ritus (kikiṭṭû)
ú 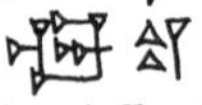 = ak-tam, eine Pflanze
 = níg-ak-a = upšašû, Zauber

---

98+ 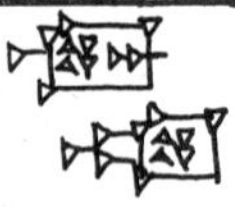 mè = tāḫāzu, Schlacht
29*

---

99  Lw. en
(71) en = adi, bis, nebst
en = bēlu, Herr; bêlu, beherrschen; dEn = Bēl (Marduk), Ligatur 
en = enu, Fürst, hoher Priester
d  = Zuen(EN-ZU) = Sîn (Ligatur wie oben)
 () siehe n15
lú  = bēl āli(uru), Bürgermeister
 = EN-TI = Ebiḫ (Thureau-D. RA 31 84ff., Gelb AJSL 55 67f., Sollberger TCS 1 p101)
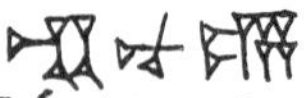 siehe 
lú  siehe n79
na4  = en-gi-sa$_6$/ša$_6$ = engis/šû, eine Steinart (Köcher BAM IV pXXII)
, 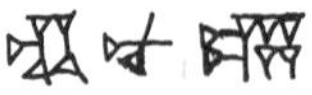 = en-nun bzw. en-nu-un = maṣṣartu, Wache, siehe auch n107, 337 und 381; (lú)en-nun bzw. -nu-un = maṣṣāru, Wächter; en-nun/nu-un auch = ṣibittu, Haft
 = bēl bēlī, Herr der Herren
d  = En-líl, Ellil, Illil; auch +  = -lá (Ligatur wie oben)
(d)  = Nibruki = Nippur(u)
 = en-te-na = kuṣṣu, Kälte
mul  = en-te-na-bar-guz = ḫabaṣīrānu, ein Stern
d  = En-ki (nur sumer.; akkad. Ea; Ligatur wie oben)
lú 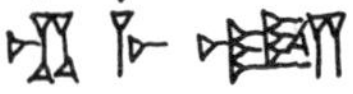 = ensi(EN-ME-LI) = šā'ilu, Traumdeuter

---

100  Lw. ṭàr (j.); ṭàra (j.)
(72) dàra = turāḫu, Steinbock

(〔cuneiform〕)   〔cuneiform〕 = dàra-maš = aj(j)alu, Hirsch

---

101   〔cuneiform〕   Lw. šur; sur (j.)

(73)   SUR = etēru, wegnehmen; bezahlen

                          šur und 〔cuneiform〕 = šur-ra = saḫtu, ausgepresst

                          sur = ṣarāḫu, aufleuchten; ṣirḫu, das Aufleuchten

                          šur = ṣarāru, fliessen; aufleuchten

                          SUR = ṭerû, aufschmieren

                          šur = zanānu, regnen

                          giš〔cuneiform〕 = šur-mìn = šurmēnu, Zypresse?

---

102   〔cuneiform〕   Lw. suḫ (j.); šuḫ (j.); múš (j.)

(74)   d Tišpak

                          〔cuneiform〕 und 〔cuneiform〕 = MÚŠ-EREN/ŠÉŠ = Šušan (Stadt)

                             und Šušinak (Gott)

---

103   〔cuneiform〕   Lw. mùš

(75+   〔cuneiform〕   d Innin usw. (Gelb JNES 19 72ff., Sollberger TCS 1 p136) =

62)   〔cuneiform〕   Ištar; Ligatur 〔cuneiform〕 , 〔cuneiform〕 ; cf n469

                          〔cuneiform〕 und 〔cuneiform〕 = MÚŠ-EREN/ŠÉŠ = Šušan (Stadt)

                             und Šušinak (Gott)

103b   〔cuneiform〕   sed = kaṣû, kalt s./w.; kuṣṣu, Kälte

---

104   〔cuneiform〕   Lw. sa (für Sa-am-su- cf Gelb OrNS 39 531ff.)

(76)   uzu sa = gīdu, Sehne, Muskel

                          sa = šir'ānu, Sehne, Blutgefäss

                          〔cuneiform〕 = sa-tu = šadû, Berg

                          〔cuneiform〕 = sa-gú = labânu, Nacken

                          lú 〔cuneiform〕 = sa-gaz = ḫabbātu, Räuber; ḫapiru, Fremdling o.ä.

                          〔cuneiform〕 (〔cuneiform〕) = sa-gal(-la) = sagallu, Gelenkkrankheit

                          〔cuneiform〕 = sa-ḫi-in-du = sikkatu, Hefe? (Landsberger

                             MSL 8/II 108)

                          〔cuneiform〕 = sa-gig = sakikkû, Gelenkkrankheit

                          〔cuneiform〕 /〔cuneiform〕 (〔cuneiform〕) = sa-dul/dul₅(-bi) = aburru, Rückseite

                          〔cuneiform〕 = sa-sal = šašallu, Sehne, Rücken

                          〔cuneiform〕 = sa-a = šurānu, Katze

                          〔cuneiform〕 = sa-a-ri = muraššû, Wildkatze

                          〔cuneiform〕 = sa-a-ri-ri = azaru, Lynx

---

104,6 〔cuneiform〕   (lú)ašgab = aškāpu, Lederarbeiter
       〔cuneiform〕

---

105 I Lw. kán
(77) gán = eqlu, Feld
iku = ikû, Feld, ein Flächenmass (3600 qm, 100 muš/sarû);
auch (AŠ-iku). iku Determinativ nach den Flächenmassen und
= gán-ba = maḫīru, Marktwert
gis = gán-ùr = maškakātu, Egge

---

105 II Lw. kár (j.); kára (j.)
(78)

---

106 Lw. tik/q (j.); gú
(79) gú = biltu, wie n108*
gú = kišādu, Nacken, Ufer
= gú-ḫas = guḫaššu, Draht
= gú-TAR(tar? ḫaš?) = kutallu, Rückseite
(dug) = gú-zi = kāsu, Becher
lú = gú-en-na = šandabakku, Bürgermeister (von Nippur; Landsberger BBEA 75ff.)
= gú-tur = kakkû, eine Art Erbse
(uru) ki = Gú-du$_8$-a = Kutû (Kutha)
ku6 = gú-bí = kuppû, eine Art Aal
= gú-du = qinnatu, After
(lú) = gú-gal = gugallu, Kanalinspektor
= gú-gal = ḫallūru, Erbse
túg = gú-è = naḫlaptu, Gewand
= gú-tál = kutallu, Rückseite
= gú-murgu = eṣemṣēru, Rückgrat
= gú-níg-àr-ra = kiššēnu, eine Hülsenfrucht

107+ (usan) ( ) / = en-nun-(an-)usan/úsan =
327 (úsan) barārītu, erste Nachtwache

---

108 Lw. dur; ṭur; túr
(80) dur = turru, Amulettsteinkette
= Dur-an-ki, Bezeichnung für Nippur
íd = DUR-ÙL = Turran, Turnat (Diyālā; Vf. AfO 23 1, Landsberger MSL 10 27)

108* gun (gú+un) = biltu, Last, Tribut, Talent (30 kg, 60 manû);
(81) auch Lw. biltu usw. (j.)

109 Lw. làl

(82) Für die Götter Alammuš und Kabta cf Lambert BSOAS 32 595 und Iraq 28 73f., Hallock AS 7 p62f. und CAD A/I 333b

làl = dišpu, Honig

= làl-gar (AHw 529b)

---

110 šim = ku_7-ku_7 = kuk(u)ru, Terebinthe?

= ku_7-ku_7 = matqu, süss

---

111 Lw. gur; qur (j.)

(84) gur = kurru, Kor (300, später 180 l (qû), bab.; ass. siehe emāru, n208)

gur = târu, zurückkehren; siehe auch n332 und 468

--- siehe n114

---

112 Lw. si/e

(85) si = (w)atru, Zuschlag

si = ešēru, in Ordnung s./kommen

si = qarnu, qannu, Horn

/ = si-il-la/lá = piqittu, Übergabe

= si-sá = ešēru, in Ordnung s./kommen

ú = si-sá = surdunû, Rauke

= si-lá = piqittu, Übergabe

giš = si-gar = šigaru, Türschloss

= níg-si-sá = mīšaru, Gerechtigkeit

---

114 Lw. dar; dír (j.); tár (cf n418); ṭár

(83) gùn und = gùn-a = burrumu, mehrfarbig

dar^mušen = ittidû, Frankolin

dar = šatāqu, spalten

mušen = dar-lugal = tarlugallu, Hahn

--- siehe n323

---

115 Lw. sag/k/q; šag/k/q (j.); ris/š (j.)

(87) sag = ašarēdu, erster

sag = pūtu, Stirn, Front-, Breitseite (pūt in präpositionalen Ausdrücken)

sag = rēšu, Kopf; für sag-nam-lugal-la (r. šarrūti) siehe n151

^lú sag (bzw. lú-sag) = ša rēši, ein hoher Offizier (סריס)

= sag-ba = māmītu, Bann

= sag-kud = sa(n)kuttu, Restbestand?

( )

^{gi} = sag-kud = sakkuttu, takkussu, Strohhalm

= sak-ru-maš, ein hoher Beamter (kassitisch)

^{giš} = sak-kul = sikkūru, Riegel

= sag-du = qaqqadu, Kopf

= sag-UŠ = kaj(j)ānu, kaj(j)amānu, ständig;

^{mul}sag-UŠ = כיון , Planet Saturn

= SAG-PA-LAGAB = nissatu, Wehklage

= Sag-íla, wie É-sag-íla (n324)

= sag-kal = ašarēdu, erster

siehe n427

= sag-ḫul-ḫa-za = mukīl rēš lemutti, ein Dämon

= sag-ki = nakkaptu, Schläfe o.ä.; pūtu, Stirn, Front-, Breitseite

= sag-ki-dib-ba = sagkidibbû o.ä., eine Krankheit (Ungnad AfO 14 272)

^{mul} = SAG-ME-GAR = Nēberu, Planet Jupiter

= sag-géme-arad = aštapiru, Gesinde

sag eine Art Determinativ vor arad (n50) und géme (n558); rēšu bedeutet auch Sklave

---

118 dilib = uruḫḫu, Schopf

---

122 (88) Lw. má

^{giš}má = eleppu, Schiff

^{giš} = má-gur_8 = makurru, eine Art Schiff

^{giš} = má-diri-ga = nēberu, Fähre

^{giš} = má-tur = maturru, kleines Boot

^{lú} bzw. ^{lú} = má-$laḫ_4$ = malaḫu, Schiffer

= má-ni-dub = maniduppu o.ä., Lastschiff

(^{giš}) = má-lal = malallû, Lastschiff

^{giš} = Má-tuš-a (Prozessionsschiff Marduks, Vf. BiOr 28 18b)

^{giš} = Má-íd-da-ḫé-du_7 (Prozessionsschiff Nabûs, Vf. BiOr 28 18b)

= má-gar-ra = magarû, Schiffsreisekost

122b (88a) ùz o.ä. = enzu, Ziege (Sollberger TCS 1 p188)

123 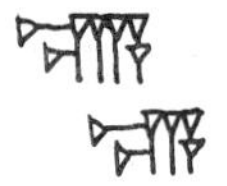 Lw. dir (j.); ṭir (j.); mál (j.)
(89) diri, dirig = (w)atru, hervorragend
si-a () = malû, voll s./w.
diri = neqelpû, dahintreiben
sa_5 = sâmu, rot-braun; sûmu, rot-brauner Fleck

---

124  Lw. tab/p; ṭab/p; dáb/p (j.)
(90) tab = edēlu, verriegeln
tab = eṣēpu, verdoppeln
tab = ḫamāṭu, brennen; eilen; ḫimṭu, Fieber
tab = ziqtu, Stich
 = tab-ba = tappû, Freund (E.N.); tappûtu, Kompagnie-geschäft

---

---  Zahl 3

124, 42 (91)  límmu (nicht tab-tab), Zahl 4
(uru)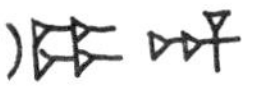 (ki) = Arba/Erba-ìl (Arbela; Gelb + Pohl OrNS 25 105)
kur/uru  = Arrap-ḫa

---

--- 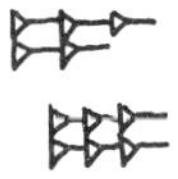, usw. Zahlen 5, 6 usw.

---

126 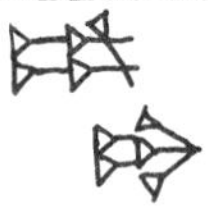 Lw. tag/k/q (j.); šum; $šu_{14}$ (j.)
(92) tag = lapātu, anfassen; liptu, das Anfassen
urudu 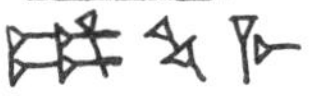 = šum-gam-me = šaššaru, Säge

---

128  Lw. ab/p; èš (a.); $iš_7$ (a.); ì/ès/ṣ/z
(93) dAB = Enlil, Ellil, Illil
(lú) = ab-ba = šību, Greis; puršumu, do
 = ab-sín = šer'u, Saatfurche; absinnu, do
 ki = Èš-nun-na
 siehe n381
 = ab-ab-du_7 = ababdû, ein Beamter
 = èš-gal = ešgallu, grosser Tempel
 siehe n296

---

129  Lw. nab/p
(94)

129a  Lw. mul (j.)
(95) mul = kakkabu, Stern. Determinativ vor Sternnamen. Für die

( ) Sternnamen siehe Gössmann Planetarium Babylonicum (Deimel ŠL IV/2)

= ^{mul}mul = Zappu, Plejades

= mul-da-mul = lummû, eine Schnecke

---

130 (96) Lw. ug/k/q

---

131 (97) Lw. as/ṣ/z; uṣ/z_4 (a.)

az = asu, Myrte

az = asu, Bär

---

132 (98) urudu = erû, Kupfer. Determinativ vor Metallsachen

= URUDU(-)BAD, cf Thompson DACG 79, CAD E 321b

siehe n233,40

= tibira(URUDU-NAGAR) = gurgurru, qurqurru, Metallarbeiter; = Abul(KÁ-GAL)-tabira (Weidner AfO 17 146 Anm. 11 und ITN p5); ki = Bàd-tibira (Vf. BiOr 28 21 zu V 19)

siehe n597

--- , siehe n330

---

133 (99) Lw. ká

ká = bābu, Tor, Tür. Auch Lautwert bābu usw. (ass. j.)

( ) = ká-(AN-)AŠ-A-AN = bābu kaw/mû, Aussentür

ki = Ká-dingir = Bābilu

ki = Ká-dingir-ra = Bābilu

ki = Ká-dingir-meš = Bābilu, Bābilī

= KÁ-GAL = abullu, Stadttor (Sjöberg RA 60 91)

ki = Ká-DIŠ = Bābilu

ki = Ká-DIŠ-DIŠ = Bābilu, Bābilī

(Für den Stadtnamen Babel cf Vf. Asarhaddon p31, Gelb + Pohl OrNS 25 105, Parpola Toponyms 58ff.)

---

200 (^{uru})NINA(^{ki}) = Ninua, Ninâ (Ninive, Parpola Toponyms 262ff.)

---

134 (100) cf n138 Lw. um; díḫ (j.; vielleicht liegt an den in Akk.Syll.[2] zitierten Stellen wie UM geschriebenes DUB = diḫ (n138) vor)

(^{lú}) / = um-me/mi-a = ummânu, Meister, Künstler

138 Lw. dub/p (j.); ṭup; ṭub/p
(101) dub = sarāqu, ausschütten
auch wie dub = šapāku, ausschütten
n134 dub = ṭuppu, Tontafel; auch (^{im}dub?)
sámag = umṣatu, Muttermal o.ä.
(^{lú}) = dub-sar = ṭupšarru, Tafelschreiber
= dub-sar-zag-ga = zazakku, ein hoher Beamter

---

139 Lw. ta; ṭá (a.)
(102) ta = ištu, ultu, neuass. issu, aus
ta = issi (išti), mit (neuass.)
cf Poebel AS 9 159f. = -ta-àm, je (nach Zahlen); cf = -àm

---

142 Lw. i; nát (bab. j.)
(103) i = nâdu, preisen (E.N.)
= i-^{d}Utu = tazzimtu, Klage
= i-bí-za = ibissû, Geldverlust
^{na_4} = kun_4(I+LU) = askupp(at)u, Platte, Schwelle

--- u.ä. = + (Weidner AfO 16 201)

142a Ligatur +
(104) Lw. ia, ie, ii, iu (Gelb OrNS 39 537ff.)

---

143 Lw. gan; qan (j.); kan (j.); ḫé/í (j.)
(105) ^{giš}kan = kannu, Gefäss mit Ständer
^{giš} = gan-na = bukānu, Stössel (Edzard ZA 60 8ff.)
= ḫé-gál = ḫegallu, Überfluss
= ḫé-nun = nuḫšu, Fülle
(^{giš}) = ḫé-du_7 = ḫittu, Türsturz
^{síg} = ḫé-me-da = nabāsu, rote Wolle; tabarru, do

---

143 Lw. kám (ass. j.)
(106) -kám wie -kam (n406)

--- siehe n332

---

144 Lw. tur (j.); ṭùr (j.)
(107) dumu = māru, Sohn; u.ä. = dumu-meš (mārū) Ia-mi-na u.ä. (Dossin RA 52 60ff., Gelb JCS 15 37f.)

() tur = ṣeḫēru, klein s./w.; ṣeḫru, klein; TUR-TUR-meš = ṣeḫḫerūtu, Pl. zu ṣeḫru (cf n343 gal-gal-meš); bànda und = bàn-da = ṣeḫru, kurze Zeit; (^{lú})tur = ṣeḫru, ṣuḫāru, šerru, Kind o.ä.; ^{munus}tur (bzw. munus-tur) = ṣeḫertu o.ä., Mädchen; = tur-ár, du sollst dörren (Köcher AS 16 323ff.; nicht tuṣaḫḫar)

^{d} = Dumu-zi (Tammuz)

= ibila(DUMU+NITA) = aplu, (Erb)sohn; aplūtu, Erbschaft (? cf Kraus SD 9 46ff.)

(^{lú}) = dumu-DÙ = mār banî, Vollfreier

^{d} = Mār-bīti(é) (CAD B 296a, Brinkman PHPKB 165)

= dumu-munus (Ligatur) = mārtu, Tochter

---

145  Lw. ad/t/ṭ; àb/p (j.; àb in àb-aš-mu, CAD A/I 39, und in àb-na, CAD G 7a; àba wohl zu streichen)

(108)

ad = abu, Vater; { = ad-da = do }

= ad-ḫal = pirištu, Geheimnis

(^{na_4}) = ad-bar = ad/ṭbaru, ein harter Stein (Basalt?)

(^{lú}) = ad-KID = atkuppu, Rohrarbeiter

^{lú} = ad-gi_4-gi_4 = māliku, Ratgeber

---

146 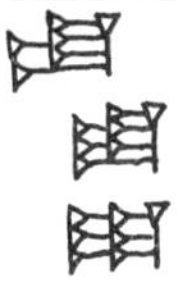 ^{giš}hašhur = ḫašḫūru, Apfel(baum)

---

147  Lw. zí/é (a.); ṣi/e

(109) zí = martu, Galle

(^{giš}) = zí-na = zinû, ein Teil der Dattelpalme

---  siehe n142a

---

148 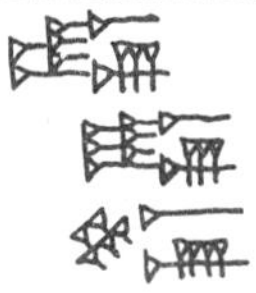 Lw. in; en_6 (a.)

(110) ( ) = in-nu(-da) = tibnu, Stroh; ŠE-IN-NU siehe n367

(^{ú}) = in-nu-UŠ = maštakal, ein Seifenkraut?

(^{še}) = in-nu-ḪA = inninnu, eine Getreideart

= in-bubbu = pû, Spreu

---

149 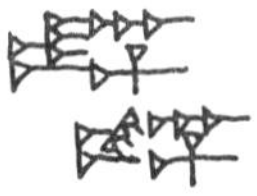 Lw. rab/p (j.)

(111)

---

150  ^{d} = DÌM-ME = Lamaštu; + (-A) = Labaṣu; + (-LAGAB) = Aḫḫāzu (Dämonen)

---

151 (112)

^{d}LUGAL = Ḫaniš

lugal = šarru, König (St. cstr. šàr). Auch Lautwert šarru usw. (j.). Cf n308 (lugal-e)

^{d} = Lugal-bàn-da

^{d} ki = Lugal-Marad-da^{ki}

^{d} = Lugal-ir$_{9}$-ra

= sag-nam-lugal-la = rēš šarrūti, Akzessionsjahr (0. Regierungsjahr; cf Tadmor JCS 12 27)

---

152 (113) auch wie n"152" (nach n331)

Lw. šìr (j.); sìr (j.); ḫir

ezen = isinnu, Fest

kešda, kéš = rakāsu, binden; riksu, Opferzurüstung

šìr = zamāru, singen

= šìr-kù-ga = širkugû, "reines Lied" (Vf. JCS 21 8b)

152^{8} (114)

bàd = dūru, Mauer

(^{uru}) ki = BÀD-DINGIR = Dēru

(^{uru}) ki = BÀD-SI-AB-BA = Barsipa (Vf. JNES 19 49f.)

ki siehe n132

152^{4}

ubara = kidennu, Privileg, Schutz

---

164 (115)

Lw. šúm (j.); sì/è (j.)

sumu, sum, sì = nadānu, geben (cf Deller + Saporetti OrAnt 9 49ff.)

sum^{sar} = šūmu, Zwiebel? Knoblauch?

sar = sum-sikil = šusikillu, šamaškilu, Zwiebel? Knoblauch?

^{lú} = SUM-NÍG = kakardinnu, ein Beruf (AHw 938a)

---

165 (115a)

(^{ú})NAGA = uḫūlu, Alkali; + (si = qarnānu) Salicornia

---

166 (116)

Lw. kas (j.); ras/š (j.); buš (j.); íš (j.)

kaskal (auch = kaskal^{II}) = girru, ḫarrānu, ḫūlu, Weg; ^{uru}KASKAL = Ḫarrān

= bú-bú-ul = bubu'tu, Beule

= danna (KASKAL-GÍD) = bēru, Meile (d.h. 10 km; 1800 NINDA, 3600 qanû), Doppelstunde (d.h. $^{1}/_{12}$ des Tages)

166b ILLAT = (ṯ)illatu, Gruppe, Truppe
^{íd} ( ) = KASKAL+KUR(-A) = Baliḫa (Ba/eliḫ, Gordon JCS 21 70ff.)

---

167 (117) Lw. gaba (j.); gab/p (j.); qab/p (j.); tuḫ; duḫ (j.); ṭuḫ (j.); ṭáḫ (ass. j.); táḫ (ass. j.); pitru (in pitruštu, j.)
gaba = irtu, Brust (auch in mār bzw. mārat gaba, Säugling). Auch Lautwert irtu usw. (j.; Vf. WO 5 169)
GAB = miḫrat, gegenüber (AHw 640b)
duḫ, du$_8$ = paṭāru, lösen
= gaba-ri = gab(a)rû, Kopie, Gegner; cf Denner WZKM 41 198, Leichty TCS 4 27 (Wiederholungszeichen)
= DUḪ-LÀL = iškūru, Wachs
= gaba-raḫ = gabaraḫḫu, Rebellion? Verzweiflung?
= duḫ-še-giš-ì = kupsu, Sesamtrester
^{kuš} ( ) = duḫ-ši(-a) = duḫšû, dušû, eine Art Leder (Landsberger JCS 21 171)

---

168 (118) Lw. ru$_6$ (j.)
^{d}EDIN = Erua (wie ^{d}), Šerua (Thureau-D. TCL 1 p60, Tallqvist AGE 463)
edin = ṣēru, Rücken, Ebene; ṣēr, auf, gegen

---

169 (119) Lw. daḫ; ṭaḫ (j.); taḫ
daḫ = (w)aṣābu, hinzufügen; { daḫ-ḫe-dam = uṣṣab }
daḫ = taḫḫu, Ersatz

--- siehe n166

---

170 (120) Lw. am
(^{gu_4})am = rīmu, Auerochs
= am-si = pīru, Elefant
^{ú} = am-si-ḫar-ra-na = piz/ṣallurtu, eine Pflanze

---

171 (121) Lw. šir$_4$ (j.)
uzu = šīru, Fleisch, Vorzeichen. Determinativ vor Körperteilen. Auch Lautwert šīru usw. (j.; Frankena BiOr 18 206a)
= UZU-DIR = kamūnu, Kümmel

---

172 (122) Lw. ne; ṭè (j.); bil; pil; bí (üw. a.); kúm (j.); ṣaḫ (bab. j.)
ne = annû, dieser
NE = baḫru, dampfend, siedend heiss

( ) šeg$_6$, auch = šeg$_6$-gá und = al-šeg$_6$-gá, = bašālu, kochen; bašlu, gekocht

dè = dikmēnu, Asche

NE = emēmu, heiss s./w.; emmu, heiss; ummu, Hitze

izi = išātu, Feuer; auch izi-meš

bil = qalû, geröstet

= al-šeg$_6$-gá = ṣarpu, gebrannt (al-šeg$_6$-gá = bašālu siehe oben)

= NE-AN-NE = anqullu, eine atmosphärische Erscheinung

= izi-šub-ba = izišubbû, Blitzschlag (cf CAD A/I 224a)

d = ^{d}BIL-GI = Gira (Feuergott); girru, Feuer

d = Li$_9$-si$_4$ (Falkenstein ZA 55 30)

d = Ne-du$_8$ (AHw 786f.; cf ^{lú})

= NE-NE-NÍG, cf Caplice OrNS 39 112

= bil-lá = emṣu, sauer

= bil-za-za = muṣa''irānu, Frosch

= ne-ḫa = nī/ēḫtu, Ruhe, ruhig (fem.)

= izi-ḫa-mun = abru, Holzstoss

= izi-gar = dipāru, Fackel; nipḫu, Streit? strittiger Opferschaubefund?

siehe n13

siehe n330

172, 51ff. (123) — Siehe n79

Cf CAD A/I 224a

---

173 (124) — Lw. bíl; píl

gibil = edēšu, neu s./w.; eššu, neu

bíl = qalû, geröstet

= bíl-lá = emṣu, sauer

---

176 — ^{ú}NÍNDA = illūru, Blume

= gu$_4$-NÍNDA = bīru, junge(r) Stier, Kuh; alpu taptīru, Ochse

---

--- (125) — Lw. šàm (ass. j.)

181 = nam-úzu/azu = bārûtu, Kunst der Opferschauer

---

183 Lw. ram (j.); rama (? j., in ramā/anu)
(126) { ág = madādu, messen }
ág = râmu, lieben; rīmu, Liebling (Vf. EAK I 5f.)

---

187 Lw. šám (j.)
(127) šám, sám, sa$_{10}$ = šâmu, kaufen; šīmu, Kaufpreis

---

190 Lw. zik/q (j.); zíb; ḫáš (j., vSoden ZA 61 ...); ḫíš (ass. j.)
(128) ḫáš = emšu, Unterleib
= ḫáš-gal = pēm/nu, Oberschenkel

190k(!) sukud = mēlû, Höhe

---

191 Lw. kum (üw. a.); qum (üw. a.); qu (üw. j.)
(129) kum = ḫašālu, zerstossen; ḫašlu, do (Adj.)

---

192 Lw. gaṣ/z (j.); kaṣ (j.); kàs
(130) gaz = dâku, töten, schlagen; dīktu, Gemetzel
^{giš}naga$_x$(GAZ) = esittu, Mörser (Landsberger Date palm 56)
gaz = ḫašālu, zerstossen
gaz = ḫepû, zerschlagen; ḫīpu, Bruch
nach Landsberger Date palm 52 nicht takassim(GAZ-sim), sondern taḫaššal tanappi zu lesen
(^{lú}) = gaz-zi-da = kaṣṣidakku, Müller

--- siehe nach n176

--- siehe n183

---

195 Unug^{ki} = Uruk (Erech); cf CAD A/II 272b

---

200 siehe nach n133

---

201 suḫuš = išdu, Fundament
(132)

---

202 Lw. kas$_4$ (j.)
(133) kaš$_4$ = lasāmu, laufen
(^{lú})kaš$_4$ = lāsimu, Kurier; šānû, do (Vf. AfO 23 24f.; cf jetzt allerdings Landsberger MSL 12 96 97)

---

203 Lw. úr
(131) úr = pēm/nu, Oberschenkel

ú̆r = sūnu, Schoss; (túg)úr = sūnu, Lappen o.ä. (Ungnad ZA 31 259f., Landsberger JCS 21 160)

= úr-kun = rapaštu, Becken

ú = úr-tál-tál = uzun lalî, Plantago

siehe n13

---

205 Lw. il; él

(134) Manchmal verwechselt mit n298

---

206 Lw. du; tù; tù (a.); gub/p (j.); qub/p (j.); kub/p (j.); kin_7 (j.); $ša_4$

(135) Cf Krecher WO 4 1ff.

Sumer. túm = bringen (akkad. (w)abālu); = mu-túm =(?) šūbultu, Sendung (Birot ARMT 9 p253f.)

du, gin, ri_6, rá = alāku, gehen

gub = i/uzuzzu, stehen

gin = kânu, fest s./w.; kīnu, fest

DU = šaṭāru, schreiben

lú = gub-ba = maḫḫû, Ekstatiker, Prophet

lú = gub-ba-igi = ma(n)zaz pāni, Höfling

= rá-gaba = rakbû (oder rakbu?), reitender Gesandter

siehe soeben

siehe n597

206a Cf Krecher WO 4 1ff.

(136) Siehe n122 und 374

--- siehe n330

--- siehe n331

---

207 Lw. tum; ṭum; dum; tu_4 (j.); í/éb/p

(137) = íb-tak_4 = riḫtu o.ä., Rest

túg = íb-lá = nēbeḫu, Gürtel

---

208 anše = imēru, Esel; assyr. Hohlmass emāru (10 sūtu, 100 qû, aber cf Saporetti RSO 44 273ff.; bab. siehe kurru, n110). Determinativ vor Equiden und Kamelen (cf Salonen Hippologica Accadica)

= dùr(ANŠE-NÍTA) = imēru, Esel; mūru, Eselfohlen

= anše-nun-na = damdammu, Maultier

= anše-edin-na = sirrimu, Wildesel

= ANŠE-GAM-MAL = gammalu, Kamel

( ) = anše-kur-ra = sīsû, Pferd
= anše-gìr-nun-na = kudanu, Maulesel
= dúsu(ANŠE-Ù) = agālu, ein Equide (Sollberger TCS 1 p113)
= ANŠE-kunga = parû, Maultier
= anše-a-ab-ba = ibilu, Dromedar
= ème(MUNUS-ANŠE) = atānu, Eselin
= MUNUS-ANŠE-KUR-RA = urītu, Stute
Für Ša-imērīšu = Damaskus oder Aram cf Parpola Toponyms 328 und CAD I/J 115

---

209 egir = (w)arka, nachher; (w)arkatu, Rückseite usw.; (w)arki, nach usw.; (w)arkītu, Zukunft; (w)arkû, künftig

---

210 (gìš)geštin = karānu, Wein(rebe)
(137a) gìš = geštin-gír = amurdinnu, Brombeerstrauch
= geštin-bil-lá, nach CAD E 153a = ṭābātu, Essig und ≠ karānu emṣu
(gìš) = geštin-UD-a = mu(n)zīqu, Rosine

---

211 Lw. uš; ús/ṣ/z (? cf Held JAOS 79 173f.); nid/t/ṭ (j.)
(138) Zahl 60 (UŠ = 60, UŠ = 120 usw.)
Masseinheit UŠ = 360 m (1/30 bēru, 120 qanû), 4 Minuten (1/30 bēru)
uš = emēdu, anlehnen usw.
gìš = išaru, (m)ušāru, Penis
uš = redû, führen usw.
uš = šiddu, Flanke, Langseite
nita = zikaru, Mann
(lú) = uš-bar = u/išparu, Weber
= gìš-nu-zu = lā petītu, nicht besprungen
= ús-sa-du = ita, neben; (lú)ús-sa-du = itû, Nachbar
(lú) = gala(UŠ-KU) = kalû, Kultsänger
(lú) = gala-maḫ = kalamaḫu, galmaḫu, Ober-kalû

211a kàš = šīnātu, Urin

---

212 Lw. iš; eš$_{15}$; ís/ṣ/z (? cf Held JAOS 79 173f.); mil
(139) saḫar = ep(e)ru, Erde, Staub
(lú)kuš$_x$(IŠ) = kizû, ein Diener

() $kuš_x$(IŠ) = nas/špantu, Niederwerfung (Sjöberg JCS 21 277)
= sahar-šub-ba = saharšuppû, Aussatz o.ä. (Wilson RA 60 47ff.)
d / = Iš-šar/šár (Ištar, cf Batto JSS 16 33f., Albright BASOR 139 16f., Revillout, BOR 1 103 und 2 57ff., Revue égyptologique 8 [1898] 5f.). Kann (mit Revillout, cf Strassmaier Dar. 149 1) auch ^{d}Šár gelesen werden? Cf = Šar in Dar. 414 11?

--- , siehe n139

214 Lw. bi; bé; pí/é; kaš (j.); kás (j.); gaš (j.)
(140) als Massangabe = 2 (eblu)
kaš = šikaru, Bier
bi = šū, šī, šuātu/i, dieser usw.
-bi = Suffix 3. Ps. Sg. ($-šu_{13}$, $-ša_{21}$, $-su_{15}$, $-sa_{18}$)
Für bi-nam-ma, bi-in-nam-ma, bi-ni-im-ma, bi-in-nim-ma, bi-in-ni, bi-in-na, i-bi-nam-ma, i-bi-in-nam-ma, i-bi-in-ni usw. cf vSoden OrNS 37 269
= kaš-sag = šikaru, Bier
= bi-iz = natāku, tropfen (ŠL n226)
= dida(KAŠ-Ú-SA) = billatu, Bestandteil des Bieres, Bier; auch = KAŠ-ÚS-SA
= pihu(KAŠ-Ú-SA-KA-DÙ) = pīhu, ein Bierkrug
= kaš-ZÍZ-AN-NA und = kaš-ZÍZ-A-AN = ulušinnu, Emmerbier
lú = BI-LUL = šāqû, Mundschenk; lú = gal-BI-LUL = ráb-šāqê, Obermundschenk (רבשקה)
= kašbir(KAŠ-A-SUD) = hīqu, Dünnbier
/ = lú/munus-kurun(KAŠ-TIN)-na = sābû, Wirt bzw. sābītu, Wirtin. Für d = KAŠ-TIN-nam cf Ungnad AfO 14 266

215 Lw. šim; rig/k/q (j.)
(141) šim = riqqu, Parfüm(pflanze) o.ä. Determinativ vor Parfümpflanzen u.ä.
^{lú}ŠIM = sirašû, Brauer
^{d}Siris, Biergott (nicht -göttin!)
^{ú}ŠIM (bzw. ú-ŠIM) = urqītu, Grün

( ) = šim-^{d}Maš und = šim-^{d}Nin-urta = nikiptu, ein Euphorbia-Strauch?

siehe n59

= šim-bi-zi-da = guḫlu, Antimon

= šim-SAL = šimšalû, Buchs?

---

224 ^{lú}ŠIM× A = sirašû, Brauer

---

225 bappir = bappiru, Bierbrot

^{lú}ŠIM× NINDA (lumgi, ningi) = sirašû, Brauer

---

228 Lw. kib/p (j.); qib/p (j.); gíb/p (ass. j.)

(142) ^{giš}šennur = šalluru, Mispel

---

229 Lw. ia$_4$ (j.; cf Köcher BAM IV pXVIII); tàk/q (ass. j.); dàg/k/q (ass. j.)

(143-144) na$_4$, ia$_4$, zá = abnu, Stein. Determinativ vor Steinnamen. Für die Steinnamen siehe R.C.Thompson DACG

---

230 Lw. gag (bab. j.); kak (j.); qaq (j.); kàl (ass. j.); dà (j.); rú

(145) dù = banû, bauen, erzeugen; būnu, Antlitz (E.N.)

dù = epēšu, machen; eppešu, erfahren; epšu, gemacht (= é-dù-a = bītu epšu, bebautes Hausgrundstück); nēpeštu, Arbeit

dù = kalû, alles (St. cstr. kàl)

^{giš}gag = sikkatu, Pflock

^{giš} = gag-ti = uṣṣu, Pfeil

^{mul} = gag-si-sá = Sirius (Gössmann ŠL IV/2 n212)

= dù-dù-bi, der dazugehörige Ritus (epuštu?)

/ = gag-u$_4$/ú-tag-ga = šiltaḫu (oder mulmullu), Pfeil

= dù-a-bi = kalāma, alles; auch kalû, do (Vf. BiOr 28 17 zu I 10)

^{lú} siehe n144

^{lú} siehe n343

230* " " siehe n233,40

---

231 Lw. ni; né; lí/é; ì; zal; ṣal (j.); dik/q (j.); tíq (j.)

(146) zal = nasāḫu, vergehen (Zeit), in der Verbindung = ba-zal (AHw 751a sub 24)

ì = šamnu, Öl, Fett

( ) zal(-zal) = šutabrû, andauern (CAD B 281)
zal = uḫḫuru, zurückbleiben
= ì-ba = piššatu, Salböl, Ölration
= ì-šaḫ = nāḫu, Schweineschmalz
= ì-sumun = lušû, Schmieröl
= ì-nun-na = ḫimētu, Butter
(lú) = ì-šur = ṣāḫitu, Ölkelterer
= ì-sag =(?) šaman rūšti, bestes Öl
= ì-dub = išpikū, Vorratskrüge; našpaku, Speicher
lú = NI(né?)-du$_8$ = atû, Pförtner (cf d)
= ì-lí (ilu, Gott)
= ì-giš = šamnu, Öl
= ì-kur-ra = napṭu, Naphta
= ì-ḫab = ikuku, traniges Öl?
= ì-udu = lipû, Fett, Talg
= ì-gu-la = igulû, feines Salböl
ki = NI+TUK = D/Tilmun (Insel; cf n15 Schluss und n554 Schluss)

--- siehe n211

--- siehe n229

232 Lw. i/er
(147) ir = (w)ardu, Knecht (ass. a.)
ir = šalālu, erbeuten; šallatu, Beute
ir = zu'tu, Schweiss

233 Lw. mal (j.); gá (j.)
(148) pisan = pišannu, Kasten
gá = šakānu, setzen
mušen = gá-ŠIR = lurmu, Vogel Strauss
( ) = gá-nun(-na) = ganūnu, Vorratsraum
= ša$_x$(GÁ)-dub-ba = šandabakku, Rechnungsführer(?)
siehe n233,40
= gá-gi$_4$-a = gagû, eine Art Frauenkloster

233, 40 + 230* šíta = Keule, Emblem (Landsberger MSL 6 84 und JNES 14 152, Dossin AHDO 3 150, Langdon RA 13 3f., Thureau-D. RA 11 85f.)

237 dagal = rapāšu, weit, breit s./w.; rapšu, weit, breit

(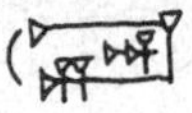) ama = ummu, Mutter; für ama-mušen cf Landsberger WO 3 253

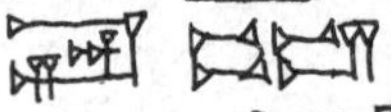 = agarin$_x$(AMA-ŠIM) = agarinnu, Maische, Mutter; auch  = AMA-ŠIM×NINDA

231, 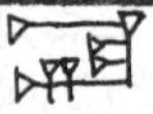 ì-giš = šamnu, Öl (Ligatur)

157 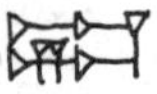

---

249 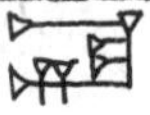 Lw. par$_4$ (a.)

(149) kisal = kisallu, Vorhof; kisal, eine Gewichtseinheit

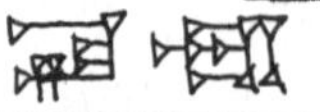 = kisal-mah = kisalmahu, Haupthof

---

252 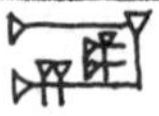 sila$_4$^{sar} = kasû, Senf

(^{udu})sila$_4$ = puhādu, Lamm; kir$_x$(MUNUS-SILA$_4$) = puhāttu, weibliches Lamm

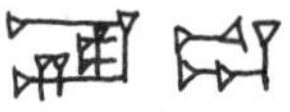 = sila$_4$-gub = lillidu, geschlechtsreifes Schaf; fem. dazu kir$_x$(MUNUS-SILA$_4$)-gub = lillittu

 = sila$_4$-nim = hurāpu, Frühjahrslamm; fem. dazu kir$_x$(MUNUS-SILA$_4$)-nim = hurāptu

 (?) = sila$_4$-UR$_4$(?) = buqāmu, Scherlamm; fem. dazu kir$_x$(MUNUS-SILA$_4$)-UR$_4$(?) = buqāmtu (Kraus Staatliche Viehhaltung 23f.)

---

255 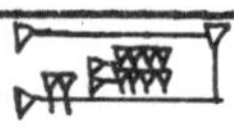 Lw. ùr (j.)

(150) ùr = ūru, Dach

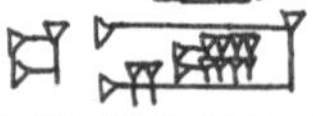 siehe n296

---

261 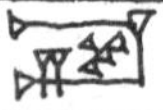 esag$_x$(MAL×ŠE) = qarītu, Kornboden

---

271 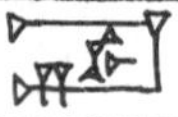 arhuš = rēmu, Erbarmen

---

273 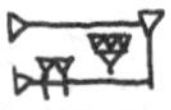 galga = malāku, beraten; māliku, Berater; milku, Rat

---

280  Cf Landsberger JAOS 88 147

(151- 

152) 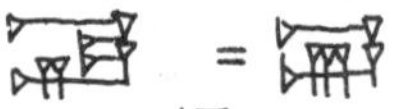 (Thureau-D. Syll.acc., vSoden Akk.Syll.[1]), ≠  (Akk.Syll.[2])

Lw. pàr; dag/k/q; tág/k/q

dag = šubtu, Wohnsitz (nicht mūšabu)

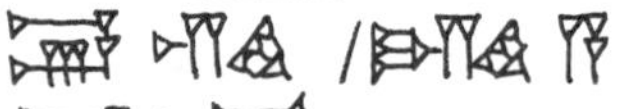 = dag-gi/gi$_4$-a = bābtu, Stadtviertel

 = dag-gaz = takkassu, Block, Monolith

---

281a  kiši$_8$ = kulbābu, Ameise

---

287 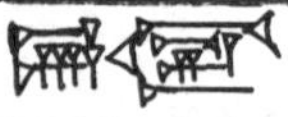 utua = puhālu, Zuchtstier

---

290  kiši$_9$ = kulbābu, Ameise

291 ubur = tulû, weibliche Brust

293 amaš = supūru, Hürde

295 Lw. pa; ḫad/t/ṭ (j.); ḫás/ṣ (j.); sàk (j., Labat RA 42 79ff.);
(153) zák/q (j., Labat RA 42 79ff.; záq Enūma eliš IV 53)

als Massangabe = 2 (sūtu); ^{dug}PA = kaptukkû, Messgefäss dieser Grösse

(^{na4})PA = aj(j)artu, Muschel (Köcher BAM IV pXVIII)

(^{lú})ugula = (w)aklu, Aufseher

(^{kuš})PA = appatu, Zügel

pa = aru, eru, Blatt, Laub; auch Lautwert aru(PA) usw. (aru_x, ari_x)

^{giš}gidri = ḫaṭṭu, Szepter (auch ^{giš} = NÍG-gidri); ḫuṭāru, Zweig, Stab

PA = ḫīṭu, Fehler (Landsberger WO 3 55 Anm. 33)

pa = kappu, Flügel

sìg = maḫāṣu, schlagen; miḫṣu, Schlag

→ ^{d}Muati = Nabiu, Nabû (Nebo); ^{d}PA = Š/Sullat (vor Ḫaniš)

PA = zaqātu, stechen

= garza(PA-AN) = parṣu, Amt, Kultbrauch (ŠL n295b)

^{d} = Ḫendur-sag-gá

^{d} / = Pa-bil/bíl-sag

= ugula-gidri = (w)akil ḫaṭṭi, Hauptmann (? cf Landsberger Date palm 58)

= ugula-mar-tu = (w)akil amurri? ugulamartû? Oberst

(^{uru}) ^{ki} = PA-ŠE = Is/šin (Vf. AfO 23 5ff.)

= énsi(PA-TE-SI) = iššakku, Stadtfürst o.ä. (Seux RA 59 101ff.)

→ = an-pa = elât šamê, Zenit

295c rig_7(PA+ḪÚB+DU) = šarāku, schenken; širku, Tempeloblate, -sklave

295d máškim = rābiṣu, Wächter, ein Dämon

295e maškim, wie n295d

295f šabra = šabrû, ein Beamter

Cf KḪ IV 3 mit Variante: Maš-kán-ŠABRA/ša-BI-ir (Edzard Zweite Zwischenzeit 146, Leemans Foreign trade 166ff.)

295k Lw. šab/p (j.); sab/p (j.); sip$_4$ (? cf Vf. JNES 19 49ff.)
(154) (^{dug})sab = šappu, Napf o.ä.
(^{lú}) = ŠAB-TUR = šamallû, Lehrling
siehe n344

295l ^{d}Enšada = Nusku

295m Lw. šab/p$_5$ (j.)
(155) (^{lú})sipa = rē'û, Hirte
^{mul} = Sipa-zi-an-na = Orion (cf Weidner AfO 19 113)
siehe n344

---

296 Lw. i/es/ṣ/z; giš (j.); gis/ṣ (j.); níš (ass. j.); kis$_x$ (Scheil RA 14 177 1, Boissier RA 30 79 II 9)
(156) GIŠ = ešēru, in Ordnung s./kommen
giš = iṣu, Holz, Baum. Determinativ vor Baum-, Holz- und Gerätnamen
GIŠ = našû, tragen (Dougherty GCCI I p20f.)
^{giš}giš = nīru, Joch
GIŠ = šaṭāru, schreiben
= gešpu(GIŠ-ŠUB) = tilpānu, eine Wurfwaffe
= giš-šub-ba = isqu, Anteil
^{d} = GIŠ-ŠIR, auch = GIŠ-NU, = Šamaš (E.N.)
^{na_4} = giš-nu$_x$-gal = gišnugallu, Alabaster
^{d} = GIŠ-BAR = Gira (Feuergott); girru, Feuer
(sūtu, auch Lautwert) siehe n74
= giš-kun = rapaštu, Becken
= iz-zi = igāru, Wand
= giš-gi = apu, Röhricht
= giš-ab-ba = kušabku, eine Akazienart
= giš-ùr = gušūru, Balken
= kiri$_6$(GIŠ-SAR) = kirû, Garten; + = kiri$_6$-maḫ = kirimaḫu, Park; siehe auch n75
= GIŠ-gàr = iškaru, Pensum, Serie
= giš-érin(rín) = gišrinnu, Waage; zibānītu, do
= giš-ḫur = uṣurtu, Plan, Zeichnung; gišḫurru, do
= gissu(GIŠ-MI) = ṣillu, Schatten
= giš-nim = ṣītan, ṣītaš, im Osten
= GIŠ-LAL = tuqumtu, Kampf

( ) (túkul) siehe n536

= géštu(GIŠ-TÚK-PI) = uznu, Ohr

= géštu-LAL = sukkuku, taub

/ = giš-ŠÚ/sig = šillan, im Westen

^{d} ( ) = GIŠ(-GÍN-MAŠ) = Gilgameš

---

297 (159a)

gu$_4$ = alpu, Rind. Determinativ vor Boviden

gu$_4$ = eṭemmu, Totengeist

= gu$_4$-an-na = alû, Himmelsstier

= GU$_4$-NÍTA = alpu, Rind

= gu$_4$-maḫ = gumaḫu, Edelrind

^{giš} = GU$_4$-SI-AŠ = ašibu, šupû, Mauerbrecher

^{d} = GU$_4$-DUMU-^{d}UTU, cf Leichty TCS 4 33, Borger BAL 109f., Lambert AfO 18 112

siehe n176

siehe sofort

= gu$_4$-giš = alap niri, Jochrind

( ) = gu$_4$-(á-)ùr-ra = alpu (w)arkû, alpu ša (w)arka, Rind, das beim Pflügen hinten ist (CAD A/II 289f.; für KḪ §242+243 cf Dossin RA 30 103ff., Landsberger MSL 8/I 42)

^{ku6} = gu$_4$-ud = arsuppu, eine Art Karpfen

= gu$_4$-ud = šaḫāṭu, springen; šaḫṭu, übersprungen (Zeile, Meissner OLZ 11 405ff.); šiḫṭu, Sprung; ^{mul}Gu$_4$-ud = Šiḫṭu bzw. Muštarilu, Planet Merkur (vSoden WZKM 62 83ff.)

---

298 (160)

Lw. al

Manchmal verwechselt mit n205

^{giš}al = allu, Hacke

^{giš} = al-la-an = allānu, Eiche

^{mušen} = al-ti-rí-ga = diqdiqqu, ein kleiner Vogel (Biggs TCS 2 59)

siehe n172

= al-ús-sa = šiqqu, Essig

= al-dù = aldû, Kornmenge

= al-LUL = alluttu, Krebs

---

306 (161)

Lw. ub/p; ár (j.)

ub-meš = kibrātu, die (vier) Weltsektoren (-ränder); = ub-da-límmu-ba = kibrātu arba'u/erbettu, kibrāt

( ) arba'i/erbetti, die vier Weltsektoren

ub = tubqu, Ecke

= ub-líl-lá = ibratu, Kultnische

siehe oben

= Ub-šu-ukkin-na-ki (Weissbach Hauptheiligtum 58ff.)

---

307 (162)

Lw. mar

mar = eqû, einreiben

(gis)mar = marru, Spaten

mar = zarû, ausstreuen

= Mar-tu = Amurru; dMar-tu = Gott Amurru; māt Mar-tu = Amurru (Westland); = DINGIR-DINGIR-MAR-TU, cf Kupper L'iconographie du dieu Amurru 70f.

(giš) = mar-gíd-da = ereqqu, Lastwagen; mulMar-gíd-da = Ereqqu, Grosser Bär

---

--- siehe n323

---

308 (163)

Lw. e

Eki = Bābilu (Babel); cf lugal-e (ohne ki) = šarru, König

e = iku, Deich, Wassergraben

e = qabû, sprechen (E.N.)

= e-sír = sūqu, Strasse

kuš = e-sír = šēnu, Schuh

= E-gì-bi (Tallqvist NN 57f.)

---

309 (164)

Lw. dug/k/q (j.); tùk/q (j.); lud/t/ṭ (j.)

dug = karpatu, Gefäss. Determinativ vor Gefässnamen. Für die Gefässnamen siehe Salonen Hausgeräte II

lú = báḫar(DUG-SÌLA-BUR) = paḫaru, Töpfer

310+ 311

gurun = inbu, Frucht

---

312 (165)

Lw. un

kalam = mātu, Land

un(ùku)-meš = nišū, Leute (Landsberger JNES 24 294)

= MUNUS-UN, cf Landsberger Festschrift Baumgartner 201 (Vf. BAL 63 31 und 69 46)

---

313 (166)

Lw. kid/t/ṭ (j.); git (j.); qid/t (j.); saḫ (j.); šàḫ (j.; auch JCS 21 4 26); suḫ4 (j.); síḫ (j.); líl (j.); (lix zu

( ) streichen, Vf. BiOr 28 66)
^{gi}kid = <u>kītu</u>, Rohrmatte
^{gi} = kid-maḫ = <u>burû</u>, Rohrmatte
^{lú} = KID-BAR = <u>šangû</u>, Priester (Deller OrNS 34 468, weitere Belege Gurney STT 300 Rs. 22, 301 V 18' und 394 V 6; trotz STT 44 Rs. 10 — cf Rs. 9 und 11 — niemals É-BAR zu lesen; cf Landsberger MSL 5 51, Jeremias BA 1 279 usw.)
^{gi} = kid-má-maḫ = <u>burû</u>, Rohrmatte
^{gi} = kid-má-šú-a = <u>burû</u>, Rohrmatte
= lú-líl-lá oder ^{lú}líl-lá = <u>lilû</u>, ein Dämon
= munus-líl-lá oder ^{munus}líl-lá = <u>lilītu</u>, eine Dämonin (לילית)
= ki-sikil-líl-lá = (<u>w</u>)<u>ardat lilî</u>, eine Dämonin; auch <u>lilītu</u> ((<u>w</u>)<u>ardat lilî</u> dann = ki-sikil-ud-da-kar-ra)

---

314 (167) Lw. <u>šid/t/ṭ</u> (j.); <u>síd/t</u> (j.); <u>lag/k/q</u> (j.)
ŠID = <u>iššakku</u>, Stadtfürst o.ä. (Seux RA 59 101ff.)
^{síg}àka = <u>itqu</u>, Vlies
lag = <u>kirbānu</u>, Klumpen
$sila_x$(ŠID) = <u>lâšu</u>, kneten
šid = <u>manû</u>, zählen, rezitieren; <u>minītu</u>, Mass; <u>minûtu</u>, Zahl, Rezitation
(^{lú})sanga = <u>šangû</u>, Priester
^{lú}umbisag(ŠID) = <u>ṭupšarru</u>, Schreiber (cf n317)
= ŠID-si-ga = <u>buqūmu</u>, Rupfen, Schur
siehe n597
siehe n597

---

314 (168) Lw. <u>rid/t/ṭ</u> (j.); <u>mis/ṣ</u> (j.); <u>miš</u> (j.); <u>mèš</u> (j.)
(^{na}4)kišib = <u>kunukku</u>, Siegel
^{d}MES = <u>Marduk</u>
^{giš}mes = <u>mēsu</u>, ein Baum
^{giš} = mes-gàm = <u>šaššugu</u>, ein Baum
^{giš} = mes-Má-kan-na = <u>musukkannu</u>, Sissoo-Baum (Gershevitch BSOAS 19 317ff.)
= KIŠIB-íb-ra = <u>ibrû</u>, gesiegelte Urkunde
^{d} = <u>Mes-lam-ta-è-a</u>
= kišib-lá = <u>rittu</u>, Hand o.ä.

317 — ^{lú}umbisag$_x$(ŠID×A) = ṭupšarru, Schreiber (cf n314)

---

318 (169)

Lw. ú; šam (üw. j.); sam (j.)

kùš = ammatu, Elle (o,5 m); auch = 1-kùš; 1 ammatu = 30 ubānu, neubabyl. 24 ubānu

ú = šammu, Pflanze. Determinativ vor Pflanzennamen. Für die Pflanzennamen siehe R.C.Thompson DAB

^{giš} = Ú-GÍR = ašāgu, eine Akazienart; cf CAD E 23b

^{giš} = Ú-GÍR-LAGAB = dadānu, eine Akazienart

^{munus} = ú-zug = musukkatu, Menstruierende

= ú-bar$_x$(EBUR) = dīšu, Gras (Landsberger MSL 10 107 2, Vf. BiOr 28 19a unten)

= Ú-ḪUB = sukkuku, taub

^{mušen} = uga(Ú-NAGA-GA) = āribu, Rabe, Krähe

(^{sar}) = Ú-KUR-RA = nīnû, Ammi

= ú-túl = utullu, Hirte, Herdenaufseher

= ú-sal = ušallu, Weidegrund

= ú-gug = sunqu, Hungersnot

---

319 (170)

Lw. ga; gá (üw. a.); kà (a.)

ga = šizbu, Milch; ga-a-nu = šizba-a-nu, eine Pflanze

^{mušen} = ga-ŠIR = lurmu, Vogel Strauss

^{sar} = ga-raš = karašu, Porree (ŠL n319a)

^{sar} = ga-raš-sag = giršānu, eine Lauchart (ŠL n319a)

(^{giš}) = ga-ZUM = muštu, Kamm (Civil JNES 26 210f.)

^{síg} = ga-ZUM-ak-a = pušikku, gekämmte Wolle (Civil JNES 26 210f.)

---

320 (171)

íl, íla = našû, tragen

siehe n85

siehe n354

---

321 (172)

Lw. luḫ; làḫ; lìḫ (j.); raḫ (j.); riḫ (j.)

luḫ = galātu, zittern

luḫ = mesû, waschen; mīsu, Waschung

(^{lú})sukkal = sukkallu, Minister o.ä.

^{lú} = sukkal-maḫ = sukkalmaḫu, Wesir o.ä.

^{ú} = LUḪ-MAR-TU = šibburratu, Raute

---

322 — Lw. kal; rib/p (j.); lab/p; líb/p (j.); dan; tan

(173) ( ) kal = (w)aqāru, kostbar s./w. (E.N.)

kal, kala, kalag, auch = kala-ga, = danānu, stark s./w.; dannu, stark; MUNUS-kala-ga siehe n554

(^{lú})guruš = eṭlu, Mann

^{d}lamma = lamassu, weiblicher Schutzgeist; folgendes = sig$_5$ lies dumqi

^{giš}esi = ušû, Ebenholz

(^{lú}) = KAL-TUR = batūlu, junger Mann; MUNUS-KAL-TUR = batūltu, junge Frau

^{d} = Kal-kal

(^{lú}) = KAL-LAP = kallapu, Kurier (Pseudo-Logogramm)

^{im} = kal-gug = kalgukku, eine Paste

---

323 ^{d}alad = šēdu, männlicher Schutzgeist; folgendes = sig$_5$ lies dumqi

[siehe n312] = ^{d}alad-^{d}lamma = aladlammû, Stierkoloss

---

324 Lw. bit/ṭ (j.); pid/t/ṭ (j.); é

(174) é = bītu, Haus. Determinativ vor Gebäuden. Auch Lautwert bītu, bētu usw. (j.)

= é-an-na = aj(j)akku, Heiligtum o.ä.

( ) = é-dingir(-meš) = aširtu, Heiligtum (CAD A/II 438b, cf CAD B 295b)

" " siehe n313

= é-nu-ru, eine Art Beschwörung (Falkenstein Haupttypen 4ff.)

= é-zi = igāru, Wand

= é-nun = kummu, Heiligtum

= É-dub-ba = bīt ṭuppi, Schule

= É-UŠ-GÍD-DA = ašlukkatu, Vorratskammer

= é-dù-a = bītu epšu, bebautes Hausgrundstück

(^{munus}) = é-gi$_4$-a = kallā/atu, Braut

= é-da = edakku, Seitenflügel

= é-gal = ekallu, Palast; MUNUS-é-gal cf Vf. BiOr 18 151f. (sinnišat ekalli) und Landsberger Festschrift Baumgartner 198ff. (^{munus}ša ekalli, שגל)

= é-gal-ku$_4$-ra, eine Beschwörungsserie (Ungnad AfO 14 263)

= é-gal-tur-ra, cf Oppenheim JNES 24 328ff.

( )

= é-kur = ekurru, Tempel

= É-SIG_4(é-gar_8?) = igāru, Wand

= é-$duru_5$ = a/edurû, Dorf

d = É-a

= é-níg-ga = bīt makkūri, Schatzhaus

Einige Tempelnamen (cf Ebeling + Meissner RLA II, Luckenbill AJSL 24 291ff., Sjöberg TCS 3):

É- = -abzu

É- = -tar-sír-sír

É- = -an-na (cf oben é-an-na = aj(j)akku)

É- = -maḫ

É- = -maḫ-ti-la

É- = -ti-la

É- = -maš-maš

É- = -maš-da-ri

É- = -nam-ti-la

É- = -nam-ḫé

É- = -zi-ba-ti-la

É- = -zi-da

É- = -nun-maḫ

É- = -tùr-kalam-ma

É = bīt kid_9-mu-ri (AHw 419b; in Ninive)

É- = -dim-gal-kalam-ma

É- = -sa-bad

É- = -dur-an-ki

É- / = -sag-íla/gíl

É- = -dub-lá-maḫ

É- = -i-bí-dA-nim

É- = -kun_4-an-kù-ga

É- = -lugal-galga-si-sá

É- / = -giš-nu/nu_x-gál (Gadd Iraq 13 32f.)

É- siehe É-

É = bīt kid-mu-ri (AHw 419b; in Ninive)

É- = -mes-mes

É- = -mes-lam

É- = -nir-gál-an-na

É- = -da-di-ḫé-gál (Vf. Asarhaddon p90)

( )

É- = -gal-maḫ
É- = -gašan-kalam-ma
É- = -šu-me-ša$_4$
É- = -kur
É- = -temen-an-ki
É- ( ) = -temen-ní-gùru bzw. -gùr-ru
É- = -kar-za-gìn-na
É- (-) = -babbar(-ra) oder -bar$_6$-ra
É- = -ud-gal-gal
É- ( ) = -babbar$_x$(-ra)
É- = -ḫi-li-an-na
É- = -šár-ra
É- = -ḫur-sag-kalam-ma
É- ( ) = -ḫur-sag-(gal-)kur-kur-ra
É- = -ḫur-sag-sikil-la
É- = -kiš-nu-gál
É- = -gi$_6$-pàr
É- = -ul-la
É- = -ul-maš
É- = -igi-kalam-ma
É- = -u$_6$-nir
É- = -di-kud-kalam-ma
É- = -ki-tuš-garza
É- = -ninnu
É- = -engur-ra
É- = -me-lám-an-na
É- = -me-te-ur-sag
É- = -tuš-a
É- = -ḫúl-ḫúl
É- = -gu-la
É- = -sikil
É- ( ) = -ur$_4$-(me-)imin-an-ki
É-( ) = -(^{giš})NÍG-gidri-kalam-ma-sum-ma
(RLA II 281a)

---

325 Lw. nir; nàr (j.)
(175) = nir-gál = etellu, Prinz, Herr
= nir-gál = takālu, vertrauen

--- 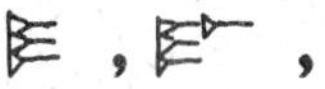 , Zahlen 3, 4, 5 usw.

* * *

326  Lw. gi/e$_4$ (üw. a.)
(176) { gi$_4$ = târu, zurückkehren }

* * *

326a  Lw. gigi (ass. j.)
(177)

* * *

327  siehe n107

* * *

328 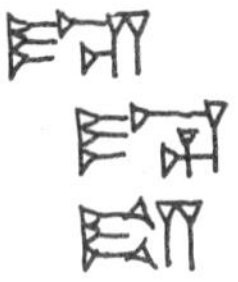 Lw. ra
(178) { ra = barāmu, siegeln }
ra = maḫāṣu, schlagen; miḫṣu, Schlag
ra = raḫāṣu, überschwemmen
ra = zaqātu, stechen
 = Ra-šil (Krückmann TMH 2/3 p40)
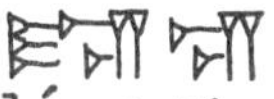 = ra-si = rēšu, Kopf (Gelb OrNS 39 531ff.)
^{lú}  = ra-gaba = rakbû, reitender Gesandter
 = nam-ra = šallatu, Beute

* * *

329 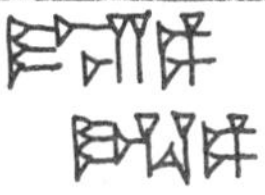 Lw. dùl
(179) šúr = ezēzu, zürnen; ezzu, zornig
 ^{mušen} = šúr-dù = surdû, Falke
 = šúr-ḫun-gá, cf Ungnad AfO 14 263f.

* * *

---  siehe n337

* * *

330 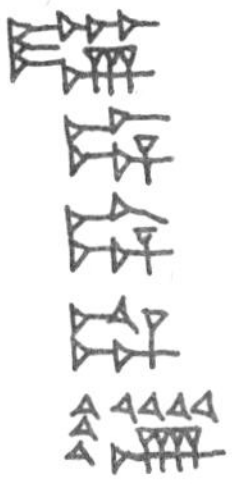 Lw. lú
(180) lú = aw/mīlu, Mensch. Determinativ vor Berufs- und Völkernamen.
lú-a-nu = amīla-a-nu, eine Pflanze
 = lú-u$_x$-lu = aw/mīlu, Mensch; lullû, do; ^{ú}lú-u$_x$-lu = amīlānu, eine Pflanze
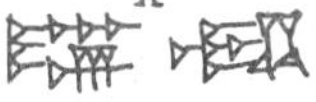 siehe n57
 siehe n69
 = du$_{14}$(LÚ-NE) = ṣāltu, Kampf
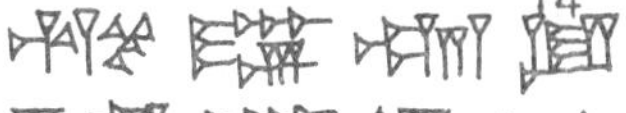 = nam-lú-u$_x$-lu = aw/mīlūtu, Menschheit
 siehe n579

* * *

331 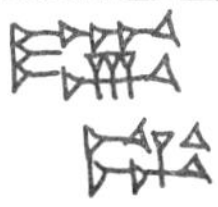 Lw. šiš; šiṣ/z (j.); šas/ṣ (j.); sis/š (j.); áḫ (bab. j.);
(182) áḫa (bab. j.)
šeš = aḫu, Bruder
ŠEŠ = annû, dieser

(𒋀) šeš = marāru, bitter s./w.; marru, bitter; šeš^{mušen} = marratu, ein Vogel; ^{šim}šeš = murru, Myrrhe

ùru = naṣāru, schützen; MUNUS-ùru siehe n554

(^{uru})𒋀 𒌦^{ki} = Urí, Urím (ŠEŠ-UNUG) = Uru (Ur); alt 𒀊 (AB) statt 𒌦

^{lú}𒋀 𒃲 = šeš-gal = šešgallu, auch aḫu rabû, ein hoher Priester

^{d}𒋀 𒃲 = Urì-gal bzw. Nergal (vWeiher Nergal 100, Thureau-D. RAcc 116 Anm. 2, Weidner AfO 3 158 3, King AKA 303 25, 304 27, 361 52, Smith III R 7 44)

^{d}𒋀 𒆠 = Nánna(ŠEŠ-KI), nur sumer. (akkad. Sîn). Cf AHw 731b nannāru. 𒀭 𒋀 𒆠 = Lautwert nanna in i-nanna, jetzt (Akk.Syll.[2] n13, cf 183; gewöhnlich umschreibt man freilich 𒀭 𒋀 𒆠 als ^{d}Nanna, nicht als Nanna oder ^{d}Nánna)

---  siehe n148

"152" 𒊬 Lw. sar (j.); šar

(184) auch wie n152

(^{ú})SAR = (w)arqu, Pflanze. SAR Determinativ nach Kräutern (konventionelle Umschrift ^{sar})

SAR = gullubu, rasieren

SAR = ḫabātu, rauben; ḫubtu, Raub

SAR = muš/sarû, ein Flächenmass (36 qm, 1/100 ikû)

mú = napāḫu, anzünden, blasen; nipḫu, das Aufleuchten

SAR = qatāru D, räuchern

SAR = šabāṭu, fegen

^{dug}sáḫar(SAR) = šaḫarratu, ein Gefäss

sar = šaṭāru, schreiben

SAR = šurrû, einsetzen (Weidner AfO 17 71)

𒄑 𒊬 siehe n296

---  ,  siehe n146

---  siehe n164

---

332 𒍠 Lw. zag/k/q

(185) 𒍠

zag = aširtu, Heiligtum (Labat CBII p148f.)

zag = imnu, imittu, rechte Seite; imittu, Auflage, Stütze, Schulter, Schulterfleisch (als Körperteil ^{uzu}zag bzw. ^{uzu}𒍠 𒇻 = zag-LU; zag-LU = imittu auch in der Bedeutung Auflage usw.)

() zag = pūtu, Front usw. (Pl. pâtu, cf Vf. BAL 107f.); j. Lautwert pūtu, būtu, z.B. in ^{lú} = qur-būtu, Garde (AHw 929a)

= zag-muk = zagmukku, Neujahrsfest

= zag-til-la-bi-šè =(?) ana pāṭ gimrīšu, vollständig (Hunger BAK p181b)

= zag-du$_8$ = sippu, Torlaibung

= zag-ga = kanzūzu, Kinn

^{sar} = zà-ḫi-li = saḫlû, Brunnenkresse

siehe oben

^{giš} = zà-mí = sammû, ein Saiteninstrument

= enku(ZAG-ḪA) = mākisu, Einnehmer

= zag-gar-ra = aširtu, Heiligtum

---

333  Lw. gàr (a.); qar; kàr (a.)
(186)

---

334  Lw. i/ed/t/ṭ; á
(187)
á = aḫu, Arm, Seite; mit Dualzeichen = aḫā^{II}
á^{mušen} = a/erû, Adler
á = emūqu, Kraft
á = idu, Arm, Seite, Lohn; mit Dualzeichen = idā^{II}; á-meš = idātu, Vorzeichen (von ittu, cf n452)
= á-gál = le'û, können; lē'û, tüchtig
= á-zi(-da) = imnu, imittu, rechte Seite
= á-gùb-bu = šumēlu, linke Seite
(^{giš}) = aškud(Á-SUḪ) = aškuttu, grosser Riegel
= á-gú-zi-ga = šēru, Morgen
= á-daḫ = rēṣu, Helfer
= á-zág bzw. ázag = asakku, ein Dämon
= Á-KAL = emūqu, Kraft
= á-áš = ṣibûtu, Wunsch
usw. = á-ki-tum usw. (CAD A/I 267ff.)
= á-tuk = nēmelu, Gewinn

---

335 siehe nach n338

---

336 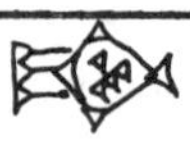 Lw. lil (j.)
(188)
^{lú}lil = lillu, Idiot; ^{munus}lil (bzw. munus-lil) = lillatu, Idiotin

---

--- 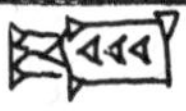 siehe n195

337 (189) murub$_4$, múru = qablu, Mitte, Kampf
= en-nun-murub$_4$-ba = qablītu, mittlere Nachtwache

---

338 (190) ^{lú}simug = nappāḫu, Schmied

---

335 (191) Lw. da; ṭa
da = idu, Arm, Seite
da = ita, neben (Ranke BE 6/I n37, Pinches CT 2 41, id CT 6 22b und 42b mit i-ta wechselnd)
da = le'û, können; lē'û, tüchtig (E.N.)
^{giš}DA = lē'u, Tafel
= da-núm (CAD D 92ff.)

---

339 (192) Lw. áš (üw. j.); ás/ṣ/z (üw. a.)
als Massangabe = 3 (sūtu), ṣimdu; ^{dug}ÁŠ = ṣindû, Messgefäss dieser Grösse
áš = arratu, Fluch
áš = ṣibûtu, Wunsch
= ZÍZ-AN-NA und = ZÍZ-A-AN = kunāšu, Emmer
^{na_4} = áš-gi$_4$-gi$_4$ und = áš-gì-gì = ašgikû, ein Stein
siehe oben
siehe n554

---

340 Massangabe, = 4 (sūtu)
(Fossey Manuel II n34848ff.)

---

341 Massangabe, = 5 (sūtu)
(Fossey Manuel II n34859ff.)

---

342 (193) Lw. ma; wa$_6$ (bab. j., cf Brinkman WZKM 62 297)
^{giš}pèš = tittu, Feige(nbaum)
= MA-MIT, nach AHw Wortzeichen für māmītu, Eid, jedoch eher ma-mīti(úš) zu lesen
= ma-na = manû, Mine (1/2 kg; 60 šiqlu, 1/60 biltu)
^{giš} = ma-nu = ēru, e'ru, ein Baum (Landsberger Date palm 26 mit Anm. 77)
^{d} = Ma-mú
= ma-da = mātu, Land

( )
^{giš} = pèš-UD-a = uliltu, getrocknete Feige
(^{gi}) = ma-sá-ab = masabbu, Korb
= MA-DAM = ḫiṣbu, (reicher) Ertrag

343
(194) cf n340

Lw. gal; qal; kál (a.)
^{dug}GAL = kāsu, Becher
gal = rabû, gross s./w.; rabû, gross; gal-gal-meš = rabbûtu, Pl. zu rabû (cf n144 TUR-TUR-meš); ^{lú}gal = rabû, Grosser usw. (St. cstr. ráb); siehe n13
= ušumgal(GAL-UŠUM) = ušumgallu, Drache
= gal-ukkin-na = mu'irru, Oberster der Bürgerschaft
= úkur(GAL-ŠAḪ) = ṭābiḫu, Schlächter
^{lú} = gal-DÙ = ráb bānî o.ä., Bauinspektor? (cf Ehrenkranz Beiträge 29ff.)
= santana(GAL-NI) = sandanakku, Gartendirektor
^{lú} = tirum(GAL-TE) = tīru, ein Palastbeamter

--- siehe n341

344
(195)

bára = parakku, Kultsockel, Heiligtum
bára = šarru, König
= bára-maḫ = paramaḫu, Heiligtum o.ä.
= bára-si-ga = barasigû o.ä., eine Art Kultsockel
(^{uru}) / = Bár(a)-sipa/sipa$_x$ (Borsippa, Vf. JNES 19 49ff.)
= bára-ga = ḫalṣu, ausgepresst
= bára-sig$_5$-ga = barasigû o.ä., eine Art Kultsockel
= bára-sig-ga, do

345
(196)

lù = dalāḫu, trüben

346
(197)

Lw. gir; qir; kir; piš; pùš (j.); biš (j.)
PEŠ = aplu oder māru, Sohn
= PEŠ-GAL, do
^{giš} = peš-gišimmar = libbi gišimmari, Palmblatt o.ä.
= PEŠ-GIG = kurāru, eine Krankheit

347  Lw. mir (j.)
(198) aga = agû, Krone
lúnimgir = nagīru, Herold usw.
 = aga-silig = agasalakku, Axt o.ä.
 = uku-uš = redû, Soldat
 = mir-sis = ḫurbāšu, Fieberschauer

---

348  lúnímgir = nagīru, Herold usw.

---

349  Lw. bur; pur
(199) bur = naptanu, Mahl
bur = pūru, Schale, Topf
 = BUR-BAL = burubalû, Grundstück o.ä.
dug  = bur-zi = pursītu, Opferschale o.ä.
(dug)  = bur-zi-gal = burzigallu, grosse Opferschale o.ä.
 = bur-sag-gá = bursaggû, eine Art Opfer
(lú)  = bur-gul = pa/urkullu, Siegelschneider

---

350 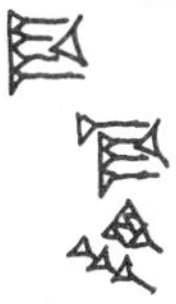 gašan = bēltu, Herrin; šarratu, Königin
d  = Šarrat-kid-mu-ri (cf n324 bīt kid-mu-ri)
d  siehe n366

---

351 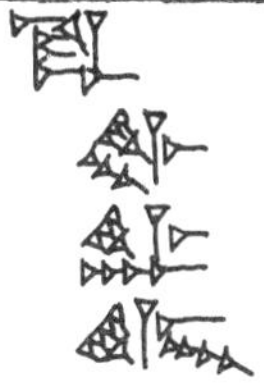 Zahl 10000 (Ungnad ZA 34 18)
(200) sig_7 = (w)arāqu, grün-gelb s./w.; (w)arqu, grün-gelb; urqu, grün-gelber Fleck
 = SIG_7-igi = šūr īni, Augenbraue

---

352 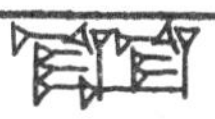 Lw. túb/p (j.); ṭúb (j.)
(201) balag = balaggu, eine Art Harfe, eine Art Klagelied

---

353 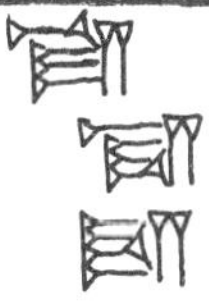 Lw. ša
(202) (giš)na_5 = pitnu, Kasten
dAra = Usmû

---

354  Lw. šu; qad/t (j.)
(203) ŠU = Wiederholungszeichen in zweispaltigen Vokabularen (z.B. sukkal-maḫ // ŠU-ḫu, d.h. sukkalmaḫuḫu)
šu = gimillu, Vergeltung (E.N.; cf Stamm Namengebung 263)
šu = qātu, Hand; mit Dualzeichen  = qātāII oder qātuII (Lautwert qád/t j., Akk.Syll.² n204); für  = iṣ(giš) qātiII (išqāti) cf CAD I/J 207f.
 ki = Šu-an-na bzw. Bābilu (Babel)

(𒋗)   lú 𒋗 [...] = géšpu(ŠU-DIM₄) = ša umāši, Athlet

(lú) 𒋗 [...] ([...]) = ŠU-SÌLA-DU₈(-A), wie [...] 𒋗 [...]

    (n62)

{ 𒋗 [...] = šu-ti = leqû, nehmen }

𒋗 [...] = šu-ti-a = melqētu, Einnahme o.ä.; namḫartu, do

𒋗 [...] = šu-nam-érim-ma, eine Krankheit (Weir

    LAP 410f.)

𒋗 [...] = šu-nam-lú-u$_x$-lu, eine Krankheit

    (Weir LAP 410f.)

(lú) 𒋗 [...] = šu-gi = šību, Greis usw.

(munus) 𒋗 [...] = šu-gi = šugītu, eine Priesterin

𒋗 [...] = šu-ri-a = mišlānū, Halbanteil

𒋗 [...] = šu-gur = unqu, Ring

𒋗 [...] = šu-si = ubānu, Finger; Zoll (^{1}/30 ammatu, neubabyl.

    ^{1}/24 ammatu)

(lú) 𒋗 [...] = šu-i = gallābu, Barbier

𒋗 [...] = tu₅(ŠU-NAGA) = ramāku, sich waschen; rimku, Bad

𒋗 [...] = šu-bi-AŠ-àm, ditto (in Omentexten usw.)

d 𒋗 [...] = Šu-lak (Frankena BiOr 17 174a)

𒋗 [...] = šu-íl-lá = nīš qāti, Handerhebung, Gebet

    (cf Kunstmann Gebetsbeschwörung)

𒋗 [...] = šu-nir = šurinnu, Emblem

𒋗 [...] mušen = ḫāzû oder ḫūqu, ein Vogel

𒋗 [...] = ŠU-SAR = pitiltu, Strick

𒋗 [...] = šu-ba$_x$, wie 𒋗 [...]

𒋗 [...] = šu-du₇ = šuklulu, makellos

giš 𒋗 [...] = saḫab(ŠU-DIŠ) = mēdilu, Riegel

𒋗 [...] = šu-lál = lupputu, bespritzt

𒋗 [...] = šu-nígin = napḫaru, Summe; Ligatur [...]

𒋗 [...] = šu-nigin, do; Ligatur [...]

𒋗 [...] = šu-gidim-ma, eine Krankheit (CAD E 400b)

(lú) 𒋗 [...] = šu-ḫa = bā'iru, Fischer, Jäger, eine Art Soldat

354b (205)	𒋗 [...]	Lw. kad/t₄ (bab. j.)
354b (206)	𒋗 [...]	Lw. kad/t₅ (j.)
355	𒋗 [...]	Lw. lul (j.); lib/p; lup (j.); paḫ (j.); puḫ (j.); bàḫ (j.);

(207) ( ) nar (j.)

(^{lú})nar = nāru, Musiker; ^{munus}nar (bzw. munus-nar) = nārtu, Musikerin

^{lú}LUL = parriṣu, Rechtsbrecher; sarru, do

^{lú} = nar-gal = nargallu, Obermusiker

= ka$_5$-a = šēlibu, Fuchs

(-tum/ti) in Eheverträgen cf CAD B 174a

---

356 Lw. sa$_6$ (a.)

(208) ša$_6$, sa$_6$, sig$_6$ = damāqu, gut s./w.; damqu, gut

(^{giš})gišimmar = gišimmaru, Dattelpalme (cf Landsberger Date palm)

^{giš} ( ) = gišimmar-TUR(-TUR) = tālu, junge Dattelpalme

^{giš} = gišimmar-kur-ra = gurummaru, Berg-Dattelpalme (Dossin u.a. ARMT 13 p165)

siehe n384

---

358 alam = ṣalmu, Bild

= alam-dím-mu-ú, usw. (CAD A/I 332b)

---

359 māt Uri(^{ki}) = māt Akkadî (< *Akkade-i; Akkad, Nordbabylonien)

u.ä. māt Tilla = Urarṭi (Ararat, Armenien)

---

362 Lw. gam (j.); qam (j.); gum$_4$ (j.); gúr (j.)

(210) gam = kamāsu, knien

gam = kanāšu, sich beugen

GAM = kepû, beugen

gúr = kippatu, Kreis

GAM = mâtu, sterben; mītu, tot (cf = úš, n69)

GAM = palāšu, durchbohren; pilšu, Loch

siehe n208

^{šim} = gam-ma = šumlalû, eine Parfümpflanze

^{šim} = gúr-gúr = kuk(u)ru, Terebinthe

siehe n381

---

363 Zahl 9 (nicht 3!)

Trennungszeichen

--- siehe n350

--- siehe n351

366  Lw. kur; qúr (a.); mad/t/ṭ; nad/t (j.); lad/t/ṭ (j.); šad/t/ṭ; sad/t (j.); gìn (j.); kìn (j., cf Vf. AfO 23 9f.)
(211)
kur = ekallu, Palast
kur = kašādu, erobern; kišittu, Beute
kur = mātu, Land. Determinativ vor Ländernamen; oft mitzulesen, z.B. māt Aššur, Assyrien, māt Akkadî, (Land) Akkad. Cf Schott ZA 44 177 Anm. 2
kur = napāḫu, aufgehen (Sonne usw.); nipḫu, das Aufgehen; für d = Šarrat-KUR-ḫa cf Schroeder AfK 1 39ff., Frankena BiOr 18 205b (zu Tākultu p95 n98)
kur = sīsû, Pferd (abgekürzt aus anše-kur-ra, n208)
kur = šadû, Berg (gewöhnlich mit phonetischem Komplement). Determinativ vor Bergnamen. Cf Schott ZA 44 177 Anm. 2. dkur-na = Šadâna (Deller + Saporetti OrAnt 9 53ff.). na4kur-nu = šadânu, Hämatit (cf n15 na4KA-gi-na)
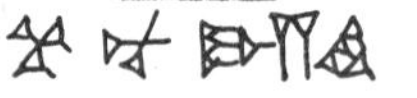 () = Kur-nu-gi$_4$(-a), "Land ohne Rückkehr" (Unterwelt)
 mušen = kur-gi = kurkû, Gans
ú  = kur-gi-érin(rín)-na = kurkānû, "Gänsepflanze"
d  = Kur-gal = Amurru
bab.  = šad-da-qàd, voriges Jahr
ú  = KUR-KUR = atā'išu, eine Pflanze
(lú)  = kur-gar-ra = kurgarû, ein Priester o.ä.
 siehe n318
 siehe n536

---

367  Lw. še
(212)
nigu = marû, gemästet
še = še'u, Gerste, Getreide. Determinativ vor Getreidearten
še = uṭṭetu, 1/20 g (1/180 šiqlu)
 = še-ba = ipru, Gerstenration
šim  () = še-li(-UD) = kikkirānu, Pinien-, Wacholdersamen?
 siehe n60
 siehe n72
 = ŠE-BAR = uṭṭetu, Gerste (RLA III 310)
giš  = še-nu = šunû, Keuschbaum
 siehe n60

= še-sa-a = lābtu, Röstkorn; qalītu, do
= še-gur, cf Vf. BAL 103 zu §44
= še-gùn-nu = šegunû, scheckige Gerste
= ŠE-IN-NU = šibšu, eine Art Taxe (Postgate NRGD p14)
d = Nisaba(ŠE-NAGA), Getreide(göttin); nissabu, Getreide
= ŠE-GAG = ḫabburu, Spross; ziqpu, do
= še-giš-ì = šamaššammū, Sesam (Kraus JAOS 88 112ff.)
= še-eštub = arsuppu, eine Gerstenart
= še-ga = mitgāru, günstig; magir, ist günstig (auch abgekürzt še); šemû, günstig; šemû, hören
= ŠE-LÚ = kisibirru, Koriander
= še-muš$_5$ = šigūšu, eine Pflanze (Wicke?)
= še-še-ga = mitanguru, Einverständnis (magāru Gtn; nicht mitgurtu)
d = Ašnan(ŠE-TIR, Ezinu), Getreide(göttin); na$_4$(-d)ŠE-TIR = pindû, eine Steinart (cf CAD A/II 451f.)
= še-bir-bir-re-da = šebirbirredû, Getreidehaufen o.ä.
giš = še-nú-a = šunû, Keuschbaum
( ) siehe n446
giš = še-ù-suḫ$_5$ = terinnatu, Tannenzapfen
= ŠE-PAD = ? , Gerste (RLA III 310)
= še-KIN-kud = eṣēdu, ernten
(kuš) = še-gín = šimtu, šindu, Farbstoff

---

371 (213) Lw. bu; pu; sír (j.); šír (j.); gíd/t/ṭ (j.); qíd/t (j.); (ra$_5$ wohl zu streichen, Vf. WO 5 170)

gíd und = gíd-da = arāku, lang s./w.; arku, lang

gišBU = ḫilēpu, Weide

gíd = šadādu, ziehen

(im) = gíd-da = giṭṭu, längliche Tontafel; im-gíd-da auch liginnu, do und u'iltu, Urkunde

= bu-bu-ul = bubu'tu, Beule

--- dSirsir (Landsberger WO 1 362ff., MSL 3 106)

---

372 Lw. us/ṣ/z
(214) UZ^{mušen} = usu, Ente; ^{mušen} = UZ-TUR = paspasu, do

---

373 Lw. šud/t/ṭ (j.); sir (j.)
(215) sù = râšu, jauchzen
sù, sud = rūqu, fern
sù, sud = salāḫu, besprengen

---

374 Lw. muš (j.); ṣir
(216) ^{d}Niraḫ (Schlangengott)
muš = ṣēru, ṣerru, Schlange
(^{na_4}) = muš-GÍR = muššaru, ein Stein (Landsberger JCS 21 152ff.)
cf Lambert JSS 14 250f. (muš-idim? muš-mit?)
= muš-tur = nirāḫu, eine Schlange
(^{lú}) bzw. = muš-laḫ$_4$ = mušlaḫḫu, Schlangenbeschwörer
= muš-ḫuš = mušḫuššu, Schlangendrache
= muš-dím-gurun-na = pizalluru, Gecko

--- siehe n367

---

375 Lw. tir; ṭir$_5$
(217) ^{giš}tir = qištu, Wald
^{d} = Tir-an-na = Manzât, Regenbogen

375, 45 ^{ú}ninni$_5$ = ašlu, eine Art Gras

---

376 Lw. te; ṭe$_4$ (üw. a.); ṭi$_4$ (a.); de$_4$ (a.)
(218) TE = kakkabu, Stern. Determinativ vor Sternnamen (cf n129a)
te = lētu, Backe
temen = temennu, Fundament
te = ṭeḫû, sich nähern
= únu(TE-UNUG, auch = TE-MURUB$_4$) = usukku, Backe
= gal$_5$-lá = gallû, ein Dämon

376* Lw. kar
(219) kar = arbu, flüchtig; kar-tú = arbūtu, Flucht
kar = ekēmu, wegnehmen
kar = eṭēru, wegnehmen; bezahlen
kar = ezēbu Š, retten (E.N.)

( ) kar = kāru, Kai

kar = mašā'u, rauben

(munus) = kar-kid = ḫarimtu, Prostituierte

---

377 (220)

Lw. liš; lis/z (j.)

(giš)dílim, díli = itquru, Löffel, Kelle

giš = dílim-tur = nalpattu, Schale o.ä.

giš = dílim-ì-šéš = napšaštu, Salbschale

giš = dílim-gal = mākaltu, Schüssel

/ = dílim-a-bár/gar$_5$ = itquru, eine Salbe

---

378 Trennungszeichen (in Umschrift :) [= 1/4 (ass. a.)]

--- siehe n406 (nach n398)

---

381 (221)

Lw. ud/t/ṭ; u$_4$ (besonders in ūmu: u$_4$-mu, u$_4$-um usw.); tam; ṭám (üw. a.); ta$_5$ (üw. j.); sa$_{16}$ (ass. j., Sa$_{16}$-gab usw.); tú (j.); pir; par (j.); laḫ (j.); liḫ (j.); ḫiš (j.)

ud, u$_4$ = i/enūma, als, wenn

babbar = peṣû, weiss (s./w.); pūṣu, weisser Fleck, das Weisse (im Auge)

dUtu = Šamaš; (in E.N.) jedoch Ìl-tam-meš (Lewy HUCA 19 428, Pinches RT 19 105)

ud, u$_4$ = ūmu, Tag

(na4) = babbar-dili = pappardilû, weiss gesprenkelter Stein; + -dili = pappardildilû, stark weiss gesprenkelter Stein

= ud-ba = adannu, Termin

= zabar(UD-KA-BAR) = siparru, Bronze

(lú) ( ) = zabar-dab(-ba) = zabardabbû, ein Beamter

= ud-dug$_4$-ga = adannu, Termin

d = UD(Utu? Uta?)-u$_x$-lu

= ud-kúr-šè = ana matīma, zukünftig immer

= ud-bar-àm = ūm mašil, Mittag [cf n84]

= tam-ri-irtu (Vf. WO 5 169)

ki = Adab(UD-NUN)

= ud-èš-èš = eššēšu (èš-èš do), ūmu eššēšu, ein Festtag

= u$_4$-bú-bú-ul = bubu'tu, Beule

ki = Larsa, Larsam (UD-UNUG)

( ) = UD-DU = abālu D, trocknen; ablu, trocken

(222)⟶ = è(UD-DU) = (w)aṣû, hinausgehen; für ^d ( ) siehe unten

= è = barû, prüfen

= UD-DU = šakāku, aufreihen

^mušen = ára(UD-DU)-bu = arabû, ein Vogel

^ki = Zimbir(UD-KIB-NUN) = Sippar; = íd-Buranun(UD-KIB-NUN-KI, auch UD-KIB-NUN, UD-KIB-NUN-NA) = Purattu (Euphrat)

^mul = UD-AL-TAR = Dapinu, Planet Jupiter

= UD-SAR = a/uskaru, Mondsichel; nannāru, Himmelsleuchte o.ä. (Vf. AfO 23 11)

^lú = UD-SAR-še-ga = Sîn-māgir, Simmāgir, ein Beamter (Krückmann TMH 2/3 p49, Pritchard ANET 308 Anm. 8)

= ud-da = ṣētu, Licht

= ud-da = ud(d)û, Unheil o.ä.

= ud-da-zal-la = uddazallû, Datum

= ud-gam-ma = qiddat ūmi, Nachmittag

= u_4-bu-bu-ul = bubu'tu, Beule

= dadag und = dadag-ga = ebēbu, rein s./w.; ebbu, rein

^ki = UD-UD-AG = Larag(La_7-rà-ag); auch ^ki

^d ( ) = ^dUtu-è(-a) = ṣīt Šamši, Osten

^sar = babbar-ḫi = papparḫû, Portulak?

( ) = ud-ná-àm bzw. ud-ná-a = (ūmu) bubbulu, Neumondstag

= ud-ul-dù-a = ṣâtu, Kommentar

= u_4-ḫul-gál = uḫulgalû, Unglückstag

= ud-15-kam = šapattu, Vollmond

= ud-20-kam in E.N. cf CAD E 368a und 370a

= ud-1-kam = ūm(u)ak(k)al, ganztägig, alltäglich

^d = ^dUtu-šú-a = ereb Šamši, Westen

siehe n391

= UD-a = abālu D, trocknen; ablu, trocken

= en-nun-ud-zal-le = šāt urri, Morgenwache

siehe n597

383 𒉿 Lw. pi/e (üw. j.); wa/e/i/u (üw. a.); a/e/i/uw (a., Gelb OrNS 39 539); am_x (a., Dossin RA 61 19ff.); à; ja/e/i/u (westsemitisch, Gelb OrNS 39 537 und 539f.); tál (j.); tála (? j.)
(223)
(na4) 𒉿 siehe n381

PI = pānu, pars/šiktu, Scheffel (6 sūtu, also 60 — später 36 — 1 (qû)); siehe auch 𒁹, 𒈫, 𒐈, 𒐉 (5 PI = 1 kurru)

geštu = uznu, Ohr; mit Dualzeichen 𒉿𒈫 = $uznā^{II}$

ú 𒉿𒉿 = tál-tál = urānu, eine Pflanze

---

384 𒊮 Lw. šà; lìb/p (j.)
(224)
šà = libbu, Herz, Inneres; Plural šà-meš = libbū (Vf. BAL 112f.), aber wohl häufiger = qerbū (Landsberger MSL 9 87f.)

d𒊮𒍪 = Šà-zu = Marduk

munus𒊮𒍪 = šà-zu = š/tabsūtu, Hebamme

𒊮𒁄𒁄 = šà-bal-bal = līp(i) līpi, liblibbi, Nachkomme

𒊮𒁄𒁄 = šà-bal-bala = šabalbalû o.ä., eine Krankheit (Ungnad AfO 14 260, G.Meier Maqlû I 91 und IV 15)

(uru)𒊮𒌷 = ŠÀ-URU = Libbi-āli bzw. Aššur (Müller MVAG 41/III 46, Parpola Toponyms 41-54)

𒊮𒈤 = šà-maḫ = šamaḫu, Dickdarm

𒊮𒄷 = šà-mud = gilittu, Schrecken; pirittu, do

𒊮𒍣𒂵 = šà-zi-ga = niš libbi, geschlechtliche Begierde (Landsberger JCS 21 161f.)

𒊮𒄀𒆹 = šà-gi-kára = šagikarû, Herzenswunsch, freiwilliges Opfer

𒊮𒄄 = šà-tùr = šasurru, Vagina

𒊮𒋧𒋧𒆠 = ŠÀ-SUM-SUM-KI = summirātu, Wunsch, Streben

(lú)𒊮𒄞 = $šà-gu_4$ = kullizu, Rindertreiber

(lú)𒊮𒂍𒃲 = šà-é-gal = ekallû, Höfling; munusšà-é-gal (bzw. munus-šà-é-gal) =(?) ekallītu, Palastdame o.ä.

𒊮𒃲 = ŠÀ-GAL = ukullû, Nahrung

giš𒊮𒄑𒉋 = šà-gišimmar = libbi gišimmari, Palmblatt o.ä. (Landsberger Date palm 13ff.)

𒊮𒋢 = ŠÀ-SÙ =(?) nušurrû, Minderung

(lú) 𒊮𒌓 = šà-tam = šatammu, "Bischof"

𒊮𒊮𒊮 = šà libbī-šà, ihre Leibesfrucht

𒊮𒅆𒆹 = $šà-igi(gi_8)-kára$ = šagikarû, Herzenswunsch, freiwilliges Opfer

( ) = šà-ḫul = lumun libbi, Kummer
= šà-ḫúl-la = ḫūd libbi, Herzensfreude
túg = šà-ḫa = šaḫḫû, kultisches Gewand
= šà-gar = bubūtu, Hunger

--- siehe n68

390 peš$_4$ = a/erû, schwanger s./w.; ^{munus}peš$_4$ (bzw. munus-peš$_4$) = a/erītu, Schwangere
^{na4}PEŠ$_4$ = isqillatu, Muschel o.ä.
^{na4} = PEŠ$_4$-ANŠE = biṣṣūr atāni, Muschel o.ä.

391 (^{na4})UD+SAL+ḪÚB = algamešu, eine Steinart

392 Lw. úḫ
(225) úḫ = ru'tu, Speichel; + (= ^{d}Íd = itu$_4$, iti$_4$) = ru'tītu, grün-gelber Gips o.ä.
ÚḪ^{ki} = U$_4$-kúšu^{ki} = Akšak und Upî (Opis) (Brinkman PHPKB 111, vDijk AfO 23 71f., Stamm Namengebung 91ff.)

393 Lw. ṣab/p (j.); zab/p (j.)
(226) zálag = naw/māru, hell s./w.; naw/mru, hell (cf Schramm OrNS 38 126f. zum Lande Namru); nūru, Licht, auch Lautwert nūru usw. (j.)
(^{lú})érin, erim = ṣābu, meist Pl. ṣābū^{meš} oder ṣābū^{há}, Gruppe, Truppe
érin, erim = ummānu (érin-ḫá kann Singular sein!), Pl. ummānū oder ummānātu (érin-ḫá, érin-ḫá-meš), Heer
^{na4}zálag = zalaqu, eine Steinart
= ERIM-GAB = nē/ārāru, Hilfe (E.N.)
siehe n296
= MUNUS-ERIM, cf Landsberger Festschrift Baumgartner 201

393 Lw. pír (ass. j.); láḫ (ass. j.); líḫ (ass. j.)
(227) Cf n394

394 (^{na4})nunuz = erimmatu, eiförmiger Stein
nunuz = pelû, Ei
nunuz = per'u, Spross (nicht pér-ḫi)
^{mušen} = nunuz-UZ-TUR = naḫtu, Vogeljunges (AHw 715b)? oder doch pel paspasi, Entenei (n372)?

394c (kuš)ùsan = qinnazu, Peitsche

---

395 Lw. zib/p (j.); ṣib/p (j.); sìp (j.)
(228) [= 1/6 (ass. a.)]

---

396 Lw. ḫi/e; ṭà (a.)
(229) dùg, du₁₀, häufiger = dùg-ga, = ṭâbu, gut s./w.;
ṭābu, gut; ṭūbu, Wohlbefinden
= ḫi-li = kuzbu, Fülle
kuš = dùg-gan = tukkannu, Tasche
= ḪI-gúr = kamās/ṣu, knien; kimṣu, Unterschenkel
= ḫe-ḫe = balālu, vermischen
= du_{10}-du_{10} = barāqu, blitzen
= ḫi-a, ḫá, Pluralzeichen (ass. a. ḫi statt ḫi-a);
mādu, ma'du, zahlreich
= ḪI-GAR = bārtu, Aufstand; bâru, sich empören
ki = ḪI-GAR = Damru (Landsberger MSL 9 171)

---

396 Lw. šár (j.); sár (j.)
(230) šár = kiššatu, Gesamtheit, Welt
šár( ) = šāru, šār, 3600
d = Šár-gaz
d / = Šár-ùr/ur₄
siehe n13

---

396 Lw. dí (ass. a.); ṭí/é (ass.)
(231) Bab. a. i- -nam = i-din-nam (n465)

---

405 sùr = ḫarru, Bodensenke, Wasserlauf

---

397 Lw. a/e/i/u'; 'a/e/i/u (j.)
(233) Alef am Wortanfang, oft auch im Wortinnern, unbezeichnet
n397 und n398 werden alt noch nicht differenziert

---

398 Lw. a/e/i/uḫ
(234) n397 und n398 werden alt noch nicht differenziert
= gúda, gudu₄ (AḪ-ME) = pašīšu, ein Priester; ass. a.
kumru
= gúda/gudu₄-abzu(ZU-AB) = gudapsû, ein
Priester

---

406 Lw. kam; qám (a.); gám (j.)
(235) Cf Thureau-D. RA 6 135 (und oben n143)

( ) -kam, eine Art Determinativ nach Zahlen, besonders Ordinalzahlen

(^{dug})útul = diqāru, Topf

KAM = erēšu, verlangen (E.N.); erištu, Verlangen (KAM-tum, KAM-ti)

= útul-zì-da = rabīku, ein Absud

---

399 (236) Lw. i/em; šar$_5$ (j.)

^{d}Iškur = Adad, Addu usw. (Hadad)

IM^{ki} = Karkara usw. (Renger AfO 23 73ff.)

ní = ramā/anu, selbst

IM (cf Landsberger MSL 9 119ff.) = šāru, Wind. Determinativ vor Winden. = IM-límmu-ba = šārū erbetti o.ä., die vier Winde.

Die vier Windrichtungen (cf Sachs JCS 6 146f.):

S. IM- (u$_x$-lu), auch IM , = šūtu;

N. IM- (si-sá), auch IM , = iš/ltānu;

O. IM- (kur-ra), auch IM , = šadû;

W. IM- (mar-tu), auch IM , = amurru

im = ṭīdu, ṭiṭu, Ton, Lehm. Determinativ vor Gegenständen aus Lehm usw.

im = ṭuppu, Tontafel; siehe n138

= IM-zu-ub = zabbu, Ekstatiker

= IM-GI = ḫammā'u, Rebell

= IM-ri-a = kimtu, niš/sūtu, salātu, Familie u.ä. (stereotype Reihe k. n. s.)

= IM-ri-a = šibiṭ šāri, Fegen des Windes, eine Krankheit (Trachom?)

= im-gú = qadūtu, Schlamm; + = -en-na qadūt šikāni, Flussschlamm?

= im-gú-lá = girginakku, Bibliothek

= IM-DIR = erpetu, urpatu, Wolke, Gewölk

= im-sa$_5$ = šaršarru, rote Paste o.ä.

= im-saḫar-na$_4$-kur-ra = gabû, Alaun

= im-saḫar-ge$_6$-kur-ra = qitmu, schwarze Farbe o.ä.

= im-dù-a = pitiqtu, Lehmziegelwerk

= im-gá-li = kalû, eine Paste o.ä.

= im-kal-la, do

siehe n322

(^{na}4) (   ) = im-ma-(an-)na = immanakku, ein Stein

= im-sig$_7$-sig$_7$ = da'matu, eine Paste o.ä.

= im-šu-nígin-na = tinūru, Ofen

siehe n371

= im-babbar = gaṣṣu, Gips

= im-ge$_6$ = ? , eine Paste o.ä. (Gurney AAA 22 64 6 usw.; nicht kubbu, cf Landsberger MSL 7 105 503)

= IM-DUGUD = imbaru, Nebel? Wetterwolke?

mušen = Anzu = Anzû? oder = ^{d}IM-DUGUD = Zû? mythischer Vogel (Lambert OrNS 36 130, Jestin BiOr 27 366)

= im-ḫul = imḫullu, böser Sturm

siehe n471

siehe n480

= ní-tuku = nâdu, preisen (E.N.)

= IM-šèg = zunnu, Regen

---

400 (237)

Lw. bir (j.); pìr (j.)

ellag$_x$(BIR) = kalītu, Niere

bir = sapāḫu, zerstreuen

^{kuš}"BIR" lies ^{kuš}dùg-gan (n396)

---

401 (238)

Lw. ḫar; ḫur; ḫír (j.); mur; ur$_5$ (j.); kín (j.)

^{d}ḪAR = Bunene

^{na}4ḪAR = erû, unterer Mühlstein

ḫur = eṣēru, zeichnen; siehe n296 sowie die übernächste Zeile

mur = ḫašû, Lunge

^{giš}ḪAR (bzw. giš-kín) = kiškanû, ein Baum

ḫar = šew/meru, Ring

ur$_5$ (ur$_5$-tú) = šuātu, diesen usw.

(^{uzu}) = ur$_5$-úš = têrtu, Orakel

^{ú} (^{sar}) = ḪUR-SAG (bzw. Ú-ḪUR-SAG) = azupīru, eine Pflanze

^{ki} = Ḫur-sag-kalam-ma

^{ú} = mur-dù-dù = murdudû, eine Pflanze

= ur$_5$-ra = ḫubullu, verzinsliche Schuld

^{lú} = àr-àr = ararru, Müller

^{na}4 = ḪAR-ḪAR = erû, unterer Mühlstein

^{ú} = ḪAR-ḪAR = *ḫašû*, eine Pflanze
= ḪAR-ḪAR = *ṭênu*, mahlen
= ur_5-gim = *kīam*, so
= ḪAR-ḪUM-BA-ŠIR, cf AHw und CAD s.v. *baḫrû* und *ḫarmunu*

---

402 Lw. *ḫuš* (j.)
(239) = ḫuš-a = *ḫuššû*, *ruššû*, rotglänzend o.ä. (Landsberger JCS 21 149f.)

---

403 suḫur$^{\text{ku6}}$ = *purādu*, *bizz*-Karpfen
(240) suḫur = *qimmatu*, Haarschopf, Wipfel
$^{\text{ku6}}$ = suḫur-máš = *suḫurmašu*, "Ziegenfisch" (Ziegenprotome mit Beinen und einem Fischleib, Seidl BagM 4 178ff.)
^{munus} = suḫur-LAL, cf Renger ZA 58 188, Postgate NRGD p102 (*kezretu*?)
Für usw. = *ṭiḫi*, neben siehe Saporetti OrNS 35 275ff.

---

404 siehe n396(229)
(241)

---

405 siehe nach n396

---

406 siehe nach n398

---

411 Lw. *u*
(242) Zahl 10, auch 60×10, 60^2× 10, 10/60, 10/3600 usw. ^{lú}*ráb*- -*ti*(*ešer-ti*, *ušur-ti*) = Dekurio
(^{d})X = *Adad*, *Addu* (Hadad)
umun = *bēlu*, Herr
bùr^{iku} = *buru*, 64800 qm (18 *ikû*, 3 *eblu*)
giguru = *giguru*, "Winkelhaken"
bùr = *pilšu*, Loch
u = *ubānu*, Finger
bab. ^{lú} , =(?) U-MUG = ? , ein Beruf (ŠL 411,146; nach Ungnad VS 1 n70 II 17 und 33 ≠ ^{lú}MUG bzw. ZADIM, n3 bzw. 4)
^{d} = X-umun = *Adad-milki* (Deller OrNS 34 382f.)

--- siehe n378

---

412 Lw. *muḫ* (j.)
(243) ugu = *eli*, auf; auch Lautwert *eli* (j., ^{ú}*eli-kul-la*, cf n532)

( ) ugu = muḫḫu, Schädel, Oberseite; nach adi, ana, ina, ištu und ša ist ugu nicht eli, sondern muḫḫi zu lesen

= ugu-dili = ugudilû, Fleck o.ä.

= ugu-DU_6-bi = pagû, Affe

---

413 — ^{giš}šibir = šibirru, Stab

---

415 — udun = utūnu, Ofen

---

417 — ^{d}UGUR(U+GUR) = Nergal

---

418 — ^{d}$Iš_8$/Aš-tár bzw. ^{d}Ištar (Gelb OrNS 39 524)

---

419 — (^{túg})sagšu = kubšu, Kopfbinde

420
(244)

Lw. lid/t/ṭ (j.); réme (? j., in rēmēnû); áb/p (üw. a.)

(^{gu_4})áb = arḫu, lītu/littu, Kuh

áb^{ku_6} = dādu, ein Fisch

= áb-maḫ = būrtu, (junge) Kuh

^{ú} usw. = áp-ru-šu usw., eine Pflanze

^{ú} = ÁB-DUḪ = kammantu, eine Pflanze

= ÁB-GU_4-ḪÁ = lâtu (Pl. zu lītu), Kühe; sugullu, Rindvieh (Deller OrNS 34 273, Goetze JCS 17 85)

= áb-AL = būrtu, (junge) Kuh

= áb-zà-mí = apsamikku, cf CAD s.v.

= áb-gal = lītu/littu (auch būrtu?), Kuh

= utul, ùnu (ÁB+KU) = utullu, Hirte, Herdenaufseher

(^{munus}) = áb-za-za = apsasû, Sphinx o.ä.

424
(246)

Lw. kír (ass. j.)

ùb = uppu, eine Art Pauke (cf Thureau-D. RAcc 48 Anm. 6)

423
(245) u.ä.

Lw. kir_6 (ass. j.)

Cf Thureau-D. RAcc 48 Anm. 6

434a
(253)

Lw. kir_7 (ass. j.); tum_{11} (ass. j.)

425
(247)

Lw. kis/š (j.; nicht kiṣ, Landsberger MSL 9 98); qis/š (j.)

Kiš^{ki}

kiš = kiššatu, Gesamtheit, Welt; kiššūtu, Macht

---

426 — meze = manzû, eine Art Pauke

---

427 — Lw. mi; mé; síl (üw. a.)

(248)

ge$_6$ = mūšu, mušītu, Nacht

ge$_6$ = ṣalāmu, schwarz s./w.; ṣalmu, schwarz; ṣulmu, schwarzer Fleck, Pupille; ( ) = sag-ge$_6$(-ga) = ṣalmāt qaqqadi, die "Dunkelköpfigen" (d.h. die Menschen); siehe unten

ge$_6$ = tarāku Stativ, verfärbt sein o.ä.; tirku, Verfärbung, Fleck o.ä.; siehe unten

lú = ge$_6$-DU-DU = ḫā'iṭu, Nachtwächter

= gi$_6$-pàr = giparu, eine Art Wohnraum

giš (ass. auch geschrieben) = MI-pàr = lipāru, ein Baum o.ä.

= ge$_6$-igi = ṣalām (oder ṣullum) pānī, Verfinsterung der Miene (Vf. AfO 18 418f.; cf Kraus AbB 1 n79 17 pa-nu-šu la i-ṣa-li-mu, sowie CAD Ṣ 241a); tirik pānī, Fleck o.ä. im Gesicht; = ṣulum īnī^{II}, Pupille

siehe n13

siehe n296

428

dugšagan = šikkatu, Napf o.ä.

(lú) = ŠÁMAN-lá = šamallû, Lehrling

---

429 (249)

Lw. gul (j.); gúl; kúl (cf Deller + Saporetti OrAnt 9 49ff.); sún (j.)

gul = abātu, zerstören

sún = rīmtu, Wildkuh

430

gir$_4$ = kīru (oder qīru? Vf. BAL 117f.), Ofen

d = GIR$_4$-KÙ = Nergal; auch d = É-GIR$_4$-KÙ (Tallqvist ZA 7 274f.)

--- siehe n396(230)

---

431 (250)

Lw. ná (j.); nú (j.)

gišnú/ná = eršu, Bett

nú, ná = nâlu, sich hinlegen; rabāṣu, do

= Ni-ná-a oder Ni-nú-a? (Ninive, cf n200)

( ) siehe n381

siehe n461

---

433 (251)

Lw. nim; num; nù (j.); tum$_4$ (j.)

gišdiḫ$_x$(NIM) = baltu, eine Dornpflanze

(kur bzw. kur = māt) Elam^{ki}, häufiger ki = Elam-ma, =

( ) Elamtu (Elam)
nim = elû, oberer
nim = ḫarāpu, früh s./w.; ḫarpu, früh
nim = zumbu, Fliege
= nim-gír = birqu, Blitz

---

434 Lw. tùm (j.)
(252) tùm = (w)abālu, tragen, bringen; tabālu, wegnehmen

434a siehe nach (n424 und) n423
(253)

---

435 Lw. lam
(254) ^{giš} = lam-tur = turazu, ein Baum
^{giš} = lam-gal = buṭuttu, Pistazie

---

436 $(^{uru})$ ^{ki} = LAM×KUR-RU = Šuru/ippak
(254a)

---

437 Lw. zur (j.); ṣur
(255) amar = būru, Kalb, Fohlen
= amar-maš-dà = (ḫ)uzālu, Gazellenjunges
^{ki} = Marad-da = Marad
^{d} = Amar-Utu = Marduk

---

438 ( ) = $(^{udu})$siskur = nīqu, niqû, Opferlamm
= siskur$_x$(d.h. SISKUR-SISKUR) = ikribu, Gebet, Segen; karābu, do (E.N.); nīqu, niqû, Opfer (in den Mari-Briefen ZUR-ZUR-re, n437)

---

439 Lw. pan (j.); ban (j.)
(256) ^{giš}pan = qaštu, Bogen
^{lú} = ^{giš}pan-tag-ga = māḫiṣu, Schlächter o.ä.

---

440 Lw. gim; qim (j.); kim (j.); dím (j.); tím (j.)
(257) $(^{lú})$šitim = itinnu, Baumeister (cf CAD B 95); ^{lú} =(?) šitimgallu, Oberbaumeister
gim u.ä. = kīma, wie

---

441 Lw. ul
(258) UL = kakkabu, Stern. Determinativ vor Sternnamen (cf n129a)
= ul ia/iu-ut-tu-un, cf die Wörterbücher s.v. jā'u und Biggs TCS 2 38f.
siehe n354

---

444  ᵈGÌR = Nergal (Leichty TCS 4 78)
(259) ᵈŠakkan bzw. Sumuqan (Viehgott)
gìr, gìri = šēpu, Fuss; mit Dualzeichen  = šēpā^II; für
gìr = šēp, verbürgt von o.ä. cf Leemans SLB 1/III p107f., Bottéro ARMT 7 p174ff.
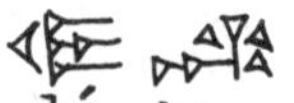 = GÌR-BAL =(?) riḫṣu, Überschwemmung
(lú)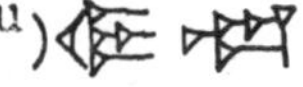 = GÌR-NÍTA(šakkana? Sollberger TCS 1 p172f.) = šakkanakku, Statthalter o.ä.
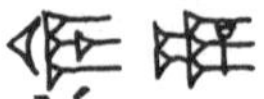 = pirig-tur = nimru, Leopard, Panther
(lú) (auch , )  = gìr-sì/sig₅/sig₆-ga = girsiqqû, ein Bediensteter
ᵈ = Nè-eri₁₁-gal = Nergal
giš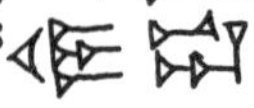 = gìr-gub = gerseppu usw., Fussbank
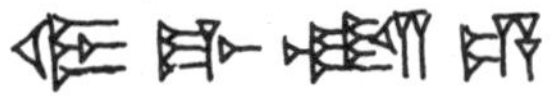 = PIRIG-gal-le-e, cf AHw 865b
 = gìr-pad-du = eṣemtu, Knochen; +  = -lúgud-da = kurītu, Wadenbein (Landsberger MSL 9 24)

---

445 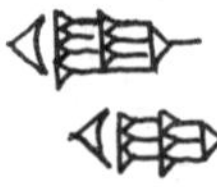 dugud = kabātu, schwer s./w.; kabtu, schwer; nakbatu, Masse o.ä.

---

446  Lw. gig (j.); qiq (j.)
(260) GIG = ḫerṣu, Abgeschnittenes
šimgig = kanaktu, Weihrauchbaum?
(še)gig, auch še = gig-ba, = kibtu, Weizen; ass. a. gig = aršātu
gig = marāṣu, krank s./w.; marṣu, krank; murṣu, Krankheit
 = níg-gig = ikkibu, Tabu; maruštu, Unheil (mrṣ)

---  usw. siehe n471ff.

---

449  Lw. ši; še₂₀ (cf Riemschneider ZA 57 129); igi; lim; lì (j.)
(261) Zahl 1000 ( = 10,  = 100)
igi = amāru, sehen
igi = īnu, Auge; mit Dualzeichen  = īnā^II. igi und  auch Lautwert īnu bzw. īnu^II usw. (j.; Akk.Syll.² n261 ína/i/u bzw. n261a ini₄)
igi = maḫāru, empfangen; maḫru, Vorderseite; maḫar, vor; maḫrû, vorderer; 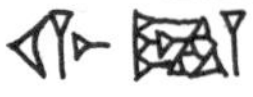 = igi-et = miḫret, gegenüber
igi = naṭālu, schauen
igi = pānu, Vorderseite, Gesicht, Pl. pānū, Gesicht; pānû, vorderer

(𒅆)   𒅆 𒁇 = igi-bar = <u>palāsu</u> N, ansehen

𒅆 = igi-nu-tuku, blind, cf Vf. AfO 23 10

𒅆 = igi-gál = <u>igigallu</u>, Weiser, Weisheit

𒅆 - x - = igi-x-gál = $^1/x$

𒅆 = igi-kár = <u>barû</u>, prüfen

𒅆 = igi-tab, do

𒅆 = igi-du$_8$ = <u>amāru</u>, sehen; 𒅆 (𒅁) = igi-du$_8$(-a) = <u>tāmartu</u>, Lektüre

𒅆 = igi-du = <u>ālik pāni</u>, Führer

^{d}𒅆 = IGI-DU = <u>Palil</u> bzw. <u>Nergal</u> (ṽWeiher Nergal 93)

^{giš}𒅆 = dalla$_x$(IGI-GAG) = <u>ṣillû</u>, Dorn, Nadel

^{giš}𒅆 = šukur = <u>šukurru</u>, Lanze

^{na_4}𒅆 = igi-SANGA-gá = <u>egizaggû</u>, ein Stein

𒅆 = u$_6$(IGI+É)-nir = <u>ziqqurratu</u>, Tempelturm

^{na_4}𒅆 / = igi-zag-ga/gá = <u>egizaggû</u>, ein Stein

𒅆 = igi-sig$_7$-sig$_7$ = <u>amurriqānu</u>, Gelbsucht

𒅆 𒅆 = bad$_5$-bad$_5$ = <u>abiktu</u>, <u>dabdû</u>, <u>taḫtû</u>, Niederlage (cf n69 bad-bad)

^{ú}𒅆 𒅆 = IGI-LIM = <u>imḫur-līmu</u>, eine Pflanze

𒅆 = igi-sá = <u>igisû</u>, Gabe

^{ú}𒅆 = IGI-NIŠ = <u>imḫur-ešrā</u>, eine Pflanze

𒅆 = igi-lá = <u>amāru</u>, sehen; <u>tāmartu</u>, Beobachtung, Lektüre

𒅆 = igi-lá-šú = <u>ḫa'attu</u> oder <u>ḫaj(j)attu</u>, Ohnmachtsanfall (Landsberger WO 3 48ff.)

𒅆 = igi-nigin-na = <u>ṣūd pānī</u>, Schwindel? Nervenzuckung im Gesicht? (Lambert AfO 18 295)

450 (262)	𒅆	Lw. <u>pà</u> (j.) { pà, pàd = <u>tamû</u>, schwören }
451 (263)	𒅆 𒅆	Lw. <u>ar</u>
452	𒅆 𒅆	(^{lú})agrig = <u>abarakku</u>, Hausverwalter o.ä. (auch <u>mašennu</u>?); ^{munus}agrig (bzw. munus-agrig) = <u>abarakkatu</u> giskim (oder iskim) = <u>ittu</u>, Vorzeichen (Pl. <u>ittātu</u>, cf n334; Landsberger WO 3 62ff.) giskim (oder iskim) = <u>tukultu</u>, Zuversicht (E.N.)

---  siehe n449

---

454 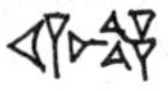 sig_5 = damāqu, gut s./w.; damqu, gut; dumqu, Gutes; MUNUS-sig_5 siehe n554

---

455  Lw. ù

(264) 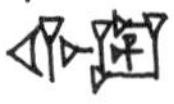 Ù = annû, dieser (Vf. BiOr 17 165b; auch King AKA 289 101)

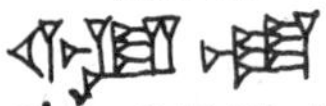 = ù-tu = (w)alādu, gebären

gis 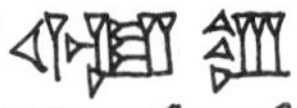 = ù-šub = nalbantu, Ziegelform

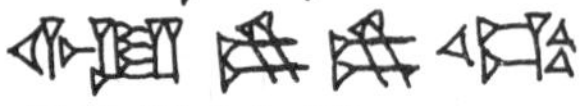 = ù-bú-bú-ul = bubu'tu, Beule

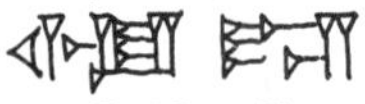 = libir-ra = labi/īru, alt

 = ù-ma = irnittu, Wunsch, Sieg

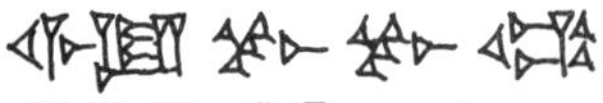 = ù-bu-bu-ul = bubu'tu, Beule

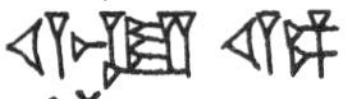 = Ù-DI = kūru, Ohnmacht (Landsberger WO 3 54f.)

giš  = ù-$suḫ_5$ = ašūḫu, Tanne

Cf n461,280

---

456  Lw. ḫul (j.)

(265) ḫul = lapātu Š, zerstören

ḫul = lemēnu, böse, schlecht s./w.; lemnu, böse; lumnu, Böses; MUNUS-ḫul siehe n554

 = ḫul-gig = zêru oder zīru, Hass

 siehe n381

---

457  Lw. di/e; ṭi/e; šùl (j.)

(266)  di = dīnu, Rechtsfall usw.

silim = salāmu, gnädig s./w.; salīmu, Gnade;  usw. kann sowohl šùl-mu wie salīmu^{mu} gelesen werden

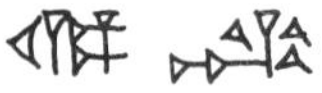 = di-bala = dib/palû, Rechtsverdrehung o.ä.

 = di-kud, di-ku_5 = dīnu, Rechtsfall; (^{lú})di-kud = daj(j)ānu, Richter; ^{d}Di-kud = Ma(n)dānu (Lambert JSS 14 249)

 = di-kud-gal = dikugallu o.ä., Oberrichter

 = sá-dug_4 = sattukku, regelmässiges Opfer

d  = Šùl-ma-nu; auch ^{d}SILIM-MA (Saporetti Onomastica I 467ff.)

 = sá-sá = kašādu, erreichen

 = sá-sá = šanānu, rivalisieren

---

---  siehe n548

---

459 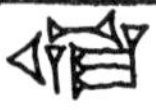 Lw. dul (j.); tul (j.)

(267) dul = katāmu, bedecken
In Assyrien nach Assurnasirpal II. auch logographisch häufig statt n459(268). Bei Langdon NBK Nabon. n6 I 25.31.37.39, II 10.16 dul statt du_6 = dû u.ä., Kultsockel?

---

459 (268) Lw. tu_x (a., in Tu_x-tub^{ki}, Gelb OrNS 39 529f.); dul_6 (ass. j.); tul_5 (ass. j.)
du_6 = mūlû, Höhe
du_6 = tillu, Hügel (St. cstr. tīl)
(268a) → = e_{11}(DU_6-DU) = (w)arādu, hinabsteigen; elû, hinaufsteigen
= du_6-kù, "Heiliger Hügel" (vBuren OrNS 13 24ff., Sjöberg TCS 3 50f.)

---

461 (269) Lw. ki/e; qí/é
Determinativ nach Länder- und Ortsnamen
ki = ašru, Ort; ašar, wo
ki = erṣetu, Erde. = KI-TIM statt erṣetim^{tim} bzw. erṣeti^{ti} nach Deller AOAT 1 48 neuassyr. qaqqar- (qaqquru, qaqqiri) zu lesen
ki = itti, mit
ki = qaqqaru, Erdboden; siehe auch soeben
= ki-bal = nabalkattu, Überschreitung
= ki-^{d}Utu-kam, eine Gebetsgattung (AHw 496a)
^{ú} = KI-^{d}IŠKUR = qudru o.ä., eine Pflanze
^{lú} = ki-inim-ma (bzw. lú-ki-inim-ma) = šību, Zeuge
= ki-maḫ = kimaḫu, Grab
= ki-šub-ba = kišubb/ppû, Bauland (Vf. ZA 61 ...); nidītu, do
= ki-gál = kigallu u.ä., Brachland
= KI-SAG, cf Vf. BAL 114 zu VI 13
^{mušen} = ígira(KI-SAG-SAL) = igirû, Reiher
= ki-ta = šaplu, Stelle unterhalb; šaplû, unten befindlich; šapliš, unten
= ki-sì-ga = kispu, Totenopfer
= KI-NE = kinūnu, Kohlenbecken
( ) = ki-ág(-gá) = râmu, lieben
= ki-gub = mazzāzu, Standort
= ki-du-du = kidudû, Ritus

= ki-uš = kibsu, Tritt
= ki-bé-gar = pūḫu, Tausch
= sur_7(KI-GAG) = bīrūtu, Anhöhe u.ä. (Vf. JCS 18 54)
= bad_4(KI-KAL) = dannatu, Not, Festung
= kankal(KI-KAL) = nidûtu, unbebauter Zustand, Brache
= qí-líp (AHw 921a)
ú = KI-KAL = sassatu, Gras
ú / = KI-KAL-ḫi-ri/rí-in = lardu, Nardenwurzel-Gras
= karaš(KI - KALxBAD) = karāšu, Feldlager
= ki-gal = kigallu, Sockel
= kislaḫ(KI-UD) = maškanu, Tenne; auch nidûtu, unbebauter Zustand, Brache?
= ki-nú/ná = maj(j)ālu, Bett
= ganba(KI-LAM) = maḫīru, Marktwert
= ki-ḫul = kiḫullû, Trauerriten o.ä.
= ki-lá = šuqultu, Gewicht
= ki-tuš = šubtu, Sitz; für kitturru (< ki-dúr) cf Deller OrNS 33 100f.; nicht mūšabu
= ki-šú = kīlu, Haft
(munus) = ki-sikil = (w)ardatu, junge Frau; cf n313
= $piš_x$(KI-A) = kibru, Ufer; + (= ^{d}íd = itu_4, iti_4) = kibrītu, Schwefel
= $ki-duru_5$ = ruṭibtu, Feuchtboden
= ki-za-za = šukênu, sich niederwerfen
= ki-GAR = kullatu, Lehmterrasse o.ä.

461, 280 +464 (269a)
kimin, ki-min, Wiederholungszeichen (ašaršani, Köcher BAM IV pXXXII)
Ass. j. manchmal u_7 (statt ù, n455) und annû, dieser (ebenfalls statt n455; King AKA 278 69 Var., 289 101 Var., Brinkman PHPKB 384f.)

462
ḫabrud = ḫurru, Erdloch; cf n78 und 79a(nach n80)

---

465 (270)
Lw. tin (j.); tén (j.); din (cf n396(231))
tin = balāṭu, leben
^{lú}DIN = itinnu, Baumeister (Deller + Parpola RA 60 59ff.)

( )

ki = DIN-TIR = Bābilu (Babel)

ú (sar) = gamun(DIN-TIR) = kamūnu, Kümmel

ú (sar) = gamun-ge$_6$ = zibû, "schwarzer Kümmel"

= lú-tin-na = sābû, Wirt

--- siehe n592

---

467 (271)

Lw. šul (j.); sul (j.); dun (j.; cf Deller + Saporetti OrAnt 9 49ff.)

d = Šul-pa-è

= gi-šul-ḫi = qan šalāli u.ä., eine Rohrart (AHw 898a)

---

468 (272)

Lw. kù

kù = ellu, rein

= azag(KÙ-AN) = asakku, Tabu; ass. a. KÙ-AN = amūtu, (Meteor)eisen?

= guškin(KÙ-GI) = ḫurāṣu, Gold; auch qu$_5$-tāru(GI, taru$_5$), AHw 930b

= kù-dim, siehe unten

= qu$_5$-tāru(GUR, taru/i), AHw 930b

= kù-kám = lulû, ein Erz?

d = Kù-sù (Krecher Sum. Kultlyrik 133f.; ≠ dKù-bu/bi/be, AHw 498a)

= kù-babbar = kaspu, Silber; ass. a. auch kù statt kù-babbar

(lú) / = kù-dím/dim = kutimmu, Gold- und Silberschmied

= kù-pad-du = šibirtu, Metallblock

= nam-kù-zu = nēmequ, Weisheit

---

469 (273)

Lw. pad/ṭ/ṭ (j.); šug/k/q (j.)

šuk, šuku = kurummatu, Kost; siehe n367; siehe n579

(Ligatur) = nidba(ŠUK-dINNIN) = nindabû, Brotopfer o.ä.

470

Zahl 15

XV = imnu, imittu, rechte Seite

dXV = Ištar

siehe n381

---

471 (274)

Lw. *man* (j.); *mam* (j.); *mìn* (j.); *mìm* (j.); *niš* (j.); *nis* (j.); *naš* (j.)

Zahl 20

MAN = *puzru*, Geborgenheit (E.N.)

(^{d})XX = *Šamaš*; cf ^{d} , n411

MAN(niš?) = *šanû*, anderer; *šanû*, sich ändern

XX = *šarru*, König (Umschrift *šárru*, St. cstr. *šar*$_4$; auch Lautwert *šárru*, j.)

= MAN-DU = *suādu*, Flieder?; auch = IM-MAN-DU?

---

472 (275)

Lw. *eš*; *ìš*; *és* (j.); *is*$_5$ (ass. j.); *sin* (j.)

Zahl 30

bà = *amūtu*, Leber, Omen

eš = *pašāšu*, salben

(^{d})XXX = *Sîn*

= eš-bar = *purussû*, Entscheidung

^{d} = ^{d}*Sîn-ma-gir*, siehe n381 UD-SAR-še-ga

--- siehe n58

---

473 Zahl 40. Cf n575 UR-NIMIN

---

475 Zahl 50

---

480 (276)

Lw. *diš* (j.); *ṭiš* (j.); *tiš* (j.); *tiz* (j.); *dáš* (j.); *gì* (j.); *ana* (j.)

Zahl 1, auch 60, 60^2, ^{1}/60, ^{1}/3600 usw. , = 1-*en*, *ištēn*, 1. (Ligatur , wie n536, cf Thureau-D. RA 27 78) = 60-*šu*, *šuššu*, 60

Determinativ vor (zumeist männlichen) Personennamen (Umschrift ^{I}, ^{m} oder ^{P}). Für Königsnamen cf San Nicolò OrNS 17 283f. Für die Personennamen siehe z.B. Stamm, Die akkadische Namengebung; Limet, L'anthroponymie sumérienne; Ranke, Early Babylonian personal names; Clay, Personal names from cuneiform inscriptions of the Cassite period; Tallqvist, Neubabylonisches Namenbuch; Stephens, Personal names from cuneiform inscriptions of Cappadocia; Saporetti, Onomastica medio-assira; Tallqvist, Assyrian personal names

= 1 (*pānu*, *pars/šiktu*, Scheffel); für ass. =

(𒁹) DIŠ-ŠE u.ä. cf Postgate NRGD p79f.

DIŠ = ana, nach, zu

^{d}LX = Anu; ^{d}DIŠ auch Ea

DIŠ = ginû, regelmässiges Opfer; ginâ, ständig

DIŠ = ilu, Gott (Vf. Asarhaddon p31)

DIŠ(diš?) = šumma, wenn (in Omina)

𒁹 … siehe oben

… = ^{im}gì-da = giṭṭu, wie (^{im}) … (n371)

---

481 𒇲 Lw. lal (j.); lá

(277) ^{ú}LAL = ašqulālu, eine Pflanze

LAL = ḫaṭû Stativ, fehlerhaft sein

lal = ḫâṭu, blicken (Landsberger WO 3 55ff.); ḫa'attu oder ḫaj(j)attu, Ohnmachtsanfall (ib 48ff.)

lal = kamû, binden; gebunden

lal = maṭû, gering (s./w.) (cf Leichty TCS 4 59); x 𒇲 y = x minus y

lal = naḫāsu, zurückweichen

lal = qalālu, leicht s./w.

lal = ṣamādu, anschirren; ṣimittu, Gespann; naṣmattu, Verband

{lal, lá = šaqālu, wägen}

LAL = šaqû, hoch s./w.

LAL = taqānu D, in Ordnung bringen (E.N.)

lal = tarāṣu, richten

… = LAL-GAG, … = LAL-NI und … = LAL-U = ribbātu, Rückstand, zu ersetzender Fehlbetrag

… siehe n296

… siehe n461

… = níg-lal = ṣimdu, Ziegelwerk?; ṣimittu, Gespann; naṣmattu, Verband

---

482 … Lw. lál (j.)

(278) lál = ṣamādu, anschirren

^{d}Kurnun (gewöhnlich …) = Tašmētu

… = úku(LÁL-DU) = lapānu, verarmen; lapnu, arm

(279) ⟶ … = A-šur$_{4}$ (Hallo JNES 15 224f.)

--- … , … siehe n534

---

483 … Lw. kil (j.); qil (j.); gíl (j.); kìr (j.); qìr (j.); rim (j.);

(280) reme (? j., in rēmēnû); rin (j.); ḫab/p (j.)

( ) gur_4, kur_4 = ba'ālu, lichtstark s./w.
^{u}ḫab = būšānu, wilder Wein? (Wilson RA 60 51ff.)
^{giš}ḫab = ḫūratu, ein rotes Gerbe- oder Färbemittel (Landsberger JCS 21 169ff.)
nígin = law/mû, umgeben
^{giš}LAGAB = puquttu, eine Dornpflanze
^{šim}ḫab = ṭu/iru, Tannenharz?
= lúgud-da = karû, kurz s./w.
siehe n79
siehe n354

484 ^{d}Nammu
siehe n579

486 (^{giš})gigir = narkabtu, Wagen

487 siehe n579

--- siehe n537

491 (281) Lw. zar; ṣar (j.)
^{d} = Zar-pa-ni-tum (Goetze JCS 17 84f.)

494 (282) Lw. ù' (j.); u_8 (j.)
šurim = kabūtu, Kot
^{d}Laḫar
u_8 = laḫru, Mutterschaf
= u_8-udu-ḫá = usduḫa = ṣēnū, Schafe und Ziegen (Goetze JCS 17 85)

510 bun = nappaḫ(t)u, Blase o.ä.

511 (283) Lw. pú (j.); túl (j.); ṭúl; ḫáb/p (j.)
pú = būrtu, Zisterne
( ) = túl(-lá) = kalakku, Keller
^{ú} = túl-lal, eine Pflanze

513 LAGAB×KÙ = tāwirtu, Teich o.ä.

515 (284) Lw. bul (j.); pul (j.)
$tuku_4$ = nâšu, beben
siehe nach n529

522 (285) Lw. suk/q (j.); zuk/q (j.)
ambar, sug = appāru, Röhricht, Sumpf

()  = as_4-lum = aslu, eine Elle

528  LAGAB× NÍG = tinūru, Ofen

529 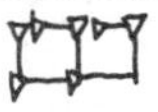 nigin = law/mû, umgeben
(286) nigin = paḫāru, sich versammeln
nigin = saḫāru, sich wenden
nigin = ṣâdu, sich drehen
uruNIGIN-tu usw. cf AHw 417a, Brinkman PHPKB 151
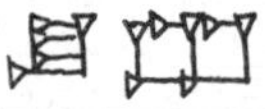 siehe n354

515,9  nenni = annanna, fem. annannītu, N.N., so und so

532  Lw. me; mì; šib/p (j.); sib/p (j.); méš (j.)
(287) Zahl 100
me, Pluralzeichen
išib = išippu, ein Priester
uzu  = me-ḫé = ḫimṣu, Fettgewebe
(uzu)  = ME-ZÉ = isu, Kiefer
 = me-lám = mele/ammū, Schreckensglanz
 = me-eli, AHw 643b
d  = ME-ME = Gula
 = ME-A = qību, Spruch
 siehe n554

533  Lw. meš; míš (j.)
(288) meš (me+eš), Pluralzeichen; auch für iterative Verbalformen (Schott ZA 44 296ff.); manchmal bedeutungslos, cf Müller MVAG 41/III 21f.
meš = mādu, ma'du, zahlreich

534  dGÍŠ+U = Anunnakū, auch Igīgū (Göttergruppen, cf Kienast AS 16 142f.)
GÍŠ+U = nagīru, Herold usw.
GÍŠ+U = nēru, nēr, 600

535  Lw. i/eb/p
(289) dUraš

536  Lw. ku; qú (üw. a.); dúr (j.); ṭúr (j.); tur_7 (bab. j.); tuš (j.); tukul (in tukul-ti) ← → (see túkul below)
(290) dúr, dúru, durun, tuš = (w)ašābu, sich setzen
gištukul = kakku, Waffe; GIŠ-TUKUL auch Lautwert túkul (in túkul-ti, ass. j., Akk.Syll.[2] n159)

( ) dúr = šuburru, After

giš = TUKUL-DINGIR = miṭṭu, Götterwaffe, Keule

= tuš-bat, CAD B 172f.

= KU-NU = qerēbu, sich nähern

na$_4$ = dúr-mi-na = turminû, Breccia; + = -bàn-da = turminabandû, do

= dúr-gig = šuburru marṣu bzw. durugiqqu, Afterkrankheit (Köcher AfO 18 86)

---

536 lúTÚG = ašlāku, Walker, Wäscher

túg, tu$_9$ = ṣubātu, Kleid (cf CAD Ṣ 225b). Determinativ vor Kleidungsstücken

gišTÚG = taskarinnu, Walnussbaum?

lú = TÚG-KA-KEŠDA = kāṣiru, Knüpfer, Gewandschneider?

lú = TÚG-DU$_8$-A = kāmidu, Weber (Held JAOS 79 175)

lú = TÚG-KAL-KAL = mukabbû, Näher

= TÚG-KUR-RA, cf Vf. OrNS 26 7

lú = azalag(TÚG-BABBAR) = ašlāku, Walker, Wäscher

= TÚG-ḪI-A = lubāru, Kleid

= mu$_4$-mu$_4$ = labāšu Dt, sich bekleiden

= TÚG-SÍG = sissiktu, Mantelsaum o.ä.

---

536 Lw. iš$_9$ (bab. j.); úb/p (j.); zì (j.); ḫun (bab. j.)

(291) šè = ana, nach, zu (Vf. BiOr 28 65b)

zì = qēmu, Mehl (häufiger = zì-da). Determinativ vor Mehlarten

uš$_4$ = ṭēmu, Verstand, Befehl

šè = zû, Kot

= zì-mùnu und = zì-munu$_4$ = isimmānu, simmānû, ein Braumalzpräparat, Zuteilung

= zì-sur-ra = zisurrû, magischer Mehlkreis

= zì-dub-dub = zidubdubbû, Mehlhaufen o.ä.

= zì-kum = isqūqu, eine Art Mehl

lú = ḫun-gá = agru, Mietarbeiter

= éš-gàr = iškaru, Pensum, Serie

= zì-da = qēmu, Mehl

= zì-mad-gá = maṣḫatu, Röstmehl

= zì-še = tappinnu, grobes Mehl

= šè-gur$_4$ = anzūzu, eine Spinne

( ) = éš-dam = aštammu, Wirtshaus
= zì-gu = isqūqu, eine Art Mehl (Salonen HAM I 55f.)
siehe n579

--- = 60 siehe n480

537 Lw. lu
(292) udu = immeru, Schaf. Determinativ vor Oviden
= UDU-NÍTA = immeru, Schaf, Widder, Hammel; šu'u, Schaf
mul = udu-idim = bibbu, Planet; + siehe n115, + siehe n297
= udu-ti-la = udutilû, lebendiges Schaf o.ä.
= udu-nim = ḫurāpu, Frühjahrslamm
siehe n438
= lu-lim = lulīmu, Hirsch
sar = lu-úb = luppu, Bohne
= gukkal(UDU-ḪÚL) = kukkallu, Fettschwanzschaf

537 Lw. dib/p (j.); ṭib/p (j.); tib/p (j.); dab/p (j.)
(293) dib = etēqu, passieren
dib = kimiltu, Zorn
dib = kullu, halten; (lú)dib-(kuš)PA-meš = mukīl appāti, Wagenlenker
dab, dib = ṣabātu, ergreifen; ṣibtu, das Ergreifen

537,65 (lú)àd = pagru, Leichnam
+537*
u.ä. (Fossey Manuel II n29954ff. und 31790f.)

538 Lw. kin (j.); qin (j.); qi/e (ass. j.)
(294) urudukin = niggallu, Sichel
u.ä. kin = šapāru, schicken; šipru, Meldung
kin = têrtu, Orakel
(giš) = KIN-GEŠTIN = isḫunnatu, Weintraube
lú = kin-gi$_4$-a = mār šipri, Bote
= KIN-GAL-UD-DA = muttellû, ?
= kin-nim =(?) šēru, Morgen
= kin-kin = še'û, suchen
= kin-sig = kinsikku, Abend; līlâtu, do; naptanu,

( ) Mahlzeit

---

539 Lw. šík/q (ass. j.)
(295) u.ä. síg = šārtu, Haar, behaarte Haut
síg = šipātu, Wolle. Determinativ vor Wollstoffen
= síg-ba = lubuštu, Bekleidung, Wollration
= síg-sag = argamannu, Rotpurpur (Landsberger JCS 21 160f.)
= síg-šab = mušāṭu, ausgekämmtes Haar
siehe n314(167)
siehe n536

---

540 $dara_4$ = da'mu, dunkel

---

541 (^{giš})eren = erēnu, Zeder
u.ä. ^{giš} = eren-BAD = s/šupuḫru, altes Zedernholz?

---

542 gur_7, $kara_x$ = karû, Getreidehaufen, Speicher

---

544 šéš = pašāšu, salben

---

545 Lw. šú (j.)
(296) šú = erēpu, sich umwölken
(^{lú})ŠÚ = kalû, Kultsänger
ŠÚ(? BAR?) = kidennu, Privileg, Schutz (Saporetti Onomastica II 130f., Frankena BiOr 18 206b)
šú = kiššatu, Gesamtheit, Welt; kiššūtu, Macht
^{d}ŠÚ = Marduk
šú = rabû, untergehen (Sonne usw.)
ŠÚ = râbu, beben
^{giš} = ŠÚ-A = littu, Schemel
^{d} siehe n381

---

546 én = šiptu, Beschwörung

546,6 Kèš^{ki} (Sjöberg TCS 3 159ff.)

---

547 siehe n208

--- siehe n457

---

548 gíbil = qalû, verbrennen; šarāpu, do; maqlūtu, Verbrennung

---

549 ^{giš}šudun/šudul (ŠÚ+DUN_4/DUL_4) = nīru, Joch

---

550 Lw. ḫúl (j.)

(297) ( ) bibra/i^{mušen} = bibrû, ein Vogel

ḫúl = ḫadû, sich freuen; ḫúl-meš = ḫidâtu, Freude

úkuš(^{sar}) = qiššû, Gurke

bzw. usw. = úkuš-ti-gi-li/gíl-la usw. = tigilû, Koloquinte?

= úkuš-LAGAB = irrû, do?

---

554 Lw. sal (j.); šal; rag/k/q (j.); mim (j.); mám (j.)

(298) munus = sinništu, Frau. Determinativ vor weiblichen Namen, Berufen und Tiernamen (Umschrift ^{munus}, ^{mí}, ^{sal} oder ^{f}; für die Personennamen siehe n480). Deutet u.U. auch eine Fem.-Endung an:

MUNUS- (kúr) = nukurtu, Feindschaft;

MUNUS- (kala-ga) = dannatu, Not;

MUNUS- (ùru) = niṣirtu, Geheimnis;

MUNUS- (sig$_5$) = damiqtu, Gutes;

MUNUS- (ḫul) = lemuttu, Böses

= gal$_4$-la = ūru, weibliche Genitalien; ^{na4}SAL-LA =(?) muštasḫip(t)u, ein Stein

= MUNUS+ḪÚB = atānu, Eselin; urītu, Stute

= nidlam(MUNUS-UŠ-DAM) = ḫīrtu, Gattin

= zeḫ(MUNUS+ÁŠ+GÀR) = unīqu, weibliches Zicklein

= lukur(MUNUS+ME) = nadītu, eine Art Priesterin (altbabyl. Ligaturen Fossey Manuel II n33181ff.)

siehe nach n561

^{mušen} = rag-rag = laqlaqqu, raqraqqu, Storch

(MUNUS+TUK) wie (n231)

---

555 Lw. zum; ṣum; súm (a.); ṣu (j.); ríg/k/q (j.)

(299) zum = ḫâlu, (Flüssigkeit) austreten lassen

siehe n554

---

556 Lw. nin; ním (j.); min$_4$ (j.); in$_5$ (bab. j.); eriš

(300) nin = aḫātu, Schwester

nin = bēltu, Herrin

( ) = nin-dingir(-ra) = ēntu, eine Art Priesterin; ugbabtu, gubabtu, do

^{d} ( ) = Nin-šubur(-ra)

^{d} = Nin-si$_4$-an-na (Sollberger TCS 1 p166)

^{d} = Nin-giz-zi-da (Falkenstein ZA 45 36)

^{d} = Nin-líl
^{d} = Nin-gal
^{d} = Nin-imma (Sollberger JEOL 20 68)
^{d} = Nin-sún
^{d} = Nin-ši-kù (AHw 796b)
^{d} = Nin-íldu (Landsberger MSL 4 7)
^{d} = Ereš-ki-gal
^{d} = Nin-urta
^{d} = Nin-girim$_{x}$ (Biggs TCS 2 43 und JCS 20 80f., Sjöberg TCS 3 99)
^{d} = Nin-kilim bzw. šikkû, Mungo; + = Nin-kilim-edin-na bzw. aj(j)aṣu, Wiesel

--- Ligatur mim-ma

557 (301) Lw. dam; ṭam
dam = aššatu, Ehefrau; mutu, Ehemann
= dam-tab-ba = ṣerretu, Rivalin
(^{lú}) = dam-gàr = tamkāru, Kaufmann

558 (303) géme = amtu, Magd; auch ^{sag}géme; géme auch Lautwert amat (in Ti-amat)
(MUNUS-kur) auch wie MUNUS-é-gal, n324

559 (302) Lw. gu; qù (a.)
gu = qû, Hanf, Faden
/ = gu-du/di = qinnatu, After
(^{giš}) = gu-za = kussû, Thron
= gu-za-lá = guzalû, Thronträger

560 (303a) Lw. alla (j., in alla-nu, Landsberger MSL 8/II 94)
^{d}Alla (Lambert BSOAS 32 595)
(^{lú})nagar = nagāru, Zimmermann
Für ^{mul}NAGAR cf Weidner Gestirn-Darstellungen 34f. und AHw s.v. kušû

561 tuḫul = gilšu, Hüfte o.ä. (Landsberger MSL 9 20)

--- * siehe n554 ( )

554,84 +556,8 égi = rubātu, Fürstin (Tallqvist AGE 171)

563 Lw. nig/k/q (j.)

(305)	( )	nig = kalbatu, Hündin
564 (306)		Lw. el; il$_5$ (a.) ^{ú}sikil, eine Pflanze, und ^{na_4}sikil, eine Steinart, beide sikillu o.ä. zu lesen (CAD A/II 325a)
565 (307)		Lw. lum; lu$_4$; núm (a.); gúm (j.); ḫum (j.); kús/ṣ (j.) ^{túg} = ḫuz(?)-za, cf AHw 373b s.v. i'lu und Sollberger TCS 1 p133 = LUM-ḪA = barīrātu, Sagapenum?
567		Cf Landsberger Date palm 29 mit Anm. 85 murgu = būdu, Schulter ^{d}Kulla (Ziegelgott) sig$_4$ = libittu, Lehmziegel = SIG$_4$-ZI = igāru, Wand = sig$_4$-tab-ba-TU(ku$_4$?)-ra = urubātu, Ziegelschicht o.ä. = sig$_4$-al-ùr-ra = agurru, gebrannter Ziegel, Backstein
569 (308)		Lw. saḫ$_4$ (j.) sùḫ = ešû, verwirren; tēšû, Verwirrung
---	,	siehe n534
570 (308a)		Zahl 2 Dualzeichen (Umschrift ^{II} oder ^{min}) min, Wiederholungszeichen Für Verwechslung mit šānû, Kurier cf Vf. AfO 23 24f.
571		$^{1}/3$
572		$^{2}/3$
573		$^{5}/6$
574 (309)		Lw. tug/k/q (j.); dúk (j.); ráš (bab. j.) tuk, tuku = išû, haben; rašû, bekommen; ^{lú}tuk = rāšû, Gläubiger du$_{12}$ = zamāru, singen
575 (310)		Lw. ur; lig/k/q; taš; tas/ṣ/z (j.); tíš (j.); tís/ṣ/z (j.); daš (j.) téš = ba'āšu, bâšu, sich schämen (cf Vf. BiOr 28 66a); bāštu, Schönheit, Würde o.ä.
(310a)⟶		= ur-maḫ = nēšu, Löwe

( ) = ur-idim = ur(i)dimmu, toller Hund (Lambert AfO 18 112)

= ur-bar-ra = barbaru, Wolf

= ur-sag = qarrādu, Held

= ur-tur = mīrānu, junger Hund

= ur-bi = ištēniš, zusammen

(lú) = UR-GAM =(?) mukabbû, Näher

ú = ur-tál-tál = uzun lalî, Plantago

= ur-KI = kalab urṣi, Dachs

= UR-NIMIN = Sur$_x$(?)-sunabu/šánabi

= ur-gi$_7$ = kalbu, Hund

(lú) = UR-SAL = assinnu, ein Priester o.ä.

= ur-a = nēšu, Löwe (oder kalab mê, Fischotter oder Biber ??)

--- siehe n482

---

576 gidim = eṭemmu, Totengeist

---

577 utug = utukku, ein Dämon; auch wie n576 (dann gidim$_4$ zu umschreiben)

--- Zahl 2,30 (d.h. 2^{30}/60, 150 usw.)

šumēlu, linke Seite (Labat AS 16 258ff.)

---

579 Lw. a; me$_5$ (j.)

(311) a = aplu, Sohn; māru, do

a und a-meš = mû, Wasser

= a-ba = abu, Vater (in = é-a-ba = bīt abi, Vaterhaus, Familie)

(lú) = a-ba = ṭupšarru, Schreiber; + (kur) cf Ungnad bei Weidner Tell Halaf p58

(lú) = a-zu = asû, Arzt; nach CAD A/II 347b auch (wie a-ba) ṭupšarru, Schreiber

lú = a-bal = dālû, Wasserschöpfer (cf CAD D 57f.)

= -àm(A-AN), steht nach Zahlen (cf -ta-àm, n139); als

(312)⟶ Lautwert àm (üw. a.) und a$_4$ (bab. j., cf CAD A/I 1)

= šeg(A-AN) = zunnu, Regen

ú = a-la-mú-a = alamû, eine Pflanze

= a-maḫ = butuqtu, Dammbruch

giš = asal$_x$(A-TU-GAB-LIŠ) = ṣarbatu, Euphrat-Pappel

( )

(dug) = a-gúb-ba = a/egubbû, Weihwasserbecken

íd = A-RAD = Purattu (Euphrat)

= a-zi-ga = mīlu, Hochwasser

= a-ri-a = ḫarābu, wüst s./w.

= a-ri-a = naw/mû, Weidegebiet

= a-ri-a = reḫûtu, Erzeugnis

d = A-nun-na = Anunnakū (Göttergruppe, Kienast AS 16 142f.)

= a-ab-ba = tâmtu, Meer

d = E$_4$-RU$_6$, auch d = E$_4$-RU$_6$-U$_8$, d = E$_4$-RU$_6$-ú-a usw., Erua (= Zarpanītu, Tallqvist AGE 286, ŠL IV/2 n126)

kuš = A-EDIN-LAL = na'du, Schlauch

(giš) = íldag(A-AM) = adāru, ein Baum; ildakku, do

= a-rá = alaktu, Gang, Weg

x(-šu) = a-rá(adi) x(-šu), x-fach

= a-rá = arû, Multiplikation

= a-geštin-na = ṭābātu, Essig

ú = a-zal-lá = azallû, eine Pflanze

kuš = a-gá-lá = narūqu, Ledersack (Sollberger TCS 1 p98)

ki = A-kà-dè (Akkad)

= illu(A-KAL) = ḫīlu, Flüssigkeit, Harz (Landsberger MSL 9 84f.)

= illu(A-KAL) = mīlu, Hochwasser

d = A-É = Mār-bīti, siehe n144 d ; nicht zu verwechseln mit d = A-ba$_4$ (altakkadisch, cf Nougayrol Ugaritica V p225)

= a-ra-zu = tes/slītu, Gebet

= a-gàr = ugāru, Feld, Flur

dug / = a-da-gur$_5$/gur$_4$ = adagurru, ein kultisches Gefäss

= a-ma-ru = abūbu, Sintflut

/ = a-gar$_5$/bár = abāru, Blei

zì = eša(A-TIR) = s/šasqû, eine Art Mehl

= a-šà = eqlu, Feld

= a-šà-šuku = šukūsu oder eqel šukūsi, Lehnsfeld

(d) = Apil-Addu (E.N.; Vf. HKL I 466 zu Schiffer)

( ) = ér(A-IGI) = bakû, weinen; bikītu, Beweinung; dimtu, Träne; taqribtu, ein Ritus

= ér-šà-ḫun-gá, Busspsalm (AHw 245f., Kunstmann Gebetsbeschwörung 44f.)

= ér-šèm-ma, eine Art Klagelied (AHw 246a, Krecher Sum. Kultlyrik 21f.)

= a-lá = alû, ein Dämon

= íd(A-ENGUR) = nāru, Fluss. Determinativ vor Flussnamen u.ä.

d = Flussgott Íd oder Nāru (Lambert Iraq 27 11; cf Akk.Syll.[2] n14 und 314)

d = ÍD-LÚ-RU-GÚ, Flussgott (Sjöberg TCS 3 60f., AHw 471a s.v. kibrītu)

= esir(A-ÉSIR) = iṭṭû, Asphalt; + ( ) = -UD-(DU-)A = kupru, do

lú = a-kin = mār šipri, Bote

= a-dam = naw/mû, Weidegebiet

= a-gar-gar = piqqannu, Kot; + (= dÍd = itu$_4$, iti$_4$) = agargarītu, schwarzer Gips o.ä.

--- (315) Lw. aj(j)a, aj(j)e, aj(j)i, aj(j)u (Gelb OrNS 39 537 und 540ff.)

d = Aja o.ä.

---

583 eduru(A×A) = aplu, Sohn

--- = 2 (pānu, pars/šiktu); = 3 ; = 4

---

585 siehe n482

--- siehe n569

---

586 (316) Lw. za; ṣa; sà (üw. a.)

Als Massangabe siehe soeben

Zahl 4

ú = za-ba-lam = supālu, eine Pflanze

= za-na = mūnu, Larve, Raupe; passu, Puppe

na4 = šuba(ZA-MÚŠ) = šubû, ein Stein

/ ki = ZA-MÚŠ/MÙŠ-UNUG = Zabalam (Sjöberg TCS 3 115f.)

d = Za-ba$_4$-ba$_4$

na4 = za-gìn = uqnû, Lapislazuli

( )

síg = za-gìn-sa$_5$ = argamannu, Rotpurpur
síg = za-gìn-kur-ra = takiltu, Blaupurpur
síg = za-gìn-MI, do
na$_4$ = za-gìn-duru$_5$ = zagindurû, eine Art Lapislazuli (Landsberger JCS 21 165f.)
na$_4$ = ZA-GUL (bzw. gug?) = sāmtu, Karneol
= za-ḫum = šīḫu, Kanne (Deller OrNS 35 208)
na$_4$ = nír(ZA-TÙN) = ḫulālu, Chalzedon? Achat?

589
(317)

Lw. ḫa
ku$_6$, kua = nūnu, Fisch. Determinativ nach Fischnamen. Für die Fischnamen siehe Salonen Die Fischerei im Alten Mesopotamien
úḪA (bzw. ú-ku$_6$) = urānu, eine Pflanze
= ḫa-la = zittu, Anteil
= ḪA-NA = Ḫanû (Kupper Nomades 1ff.)
giš = ḫa-šur = ḫašūru, wilde Zypresse?
d = Ḫa-ià (Jacobsen JCS 7 38 Anm. 17)
= ku$_6$-lú-u$_x$-lu = kulīlu, "Fischmensch"
giš = ḫa-lu-úb = ḫaluppu, Eiche?
= záḫ(ḪA-A) = ḫalāqu, zugrunde gehen; ḫalqu, verloren; nābutu, fliehen
-tu = ʾa$_4$-ku$_6$-ku$_6$-tu, CAD A/I 285
= níg-ḫa-lam-ma = šaḫluqtu, Vernichtung

591
(318)

Lw. gug/q (j.)
gug = guqqû, monatliches Opfer
gug = pindû, Brandmal
na$_4$ siehe n586

592
(320)

Lw. sig/k/q (j.); šig/k/q (j.); zík/q (j.); šì (a.); pik/q (j.); bik (j.)
SIG = (w)edû, bekannt (Landsberger BBEA 42)? (w)ēdu, einzig (Otten + vSoden Studien zu den Boğazköy-Texten 7 17)?
sig = enšu, schwach (E.N.)
SIG = ipqu, Gnade? freundliche Umfassung? (E.N.)
sig = našpu, Bezeichnung einer Bierart
sig = qatānu, schmal s./w.: qatnu, schmal

593

Zahl 3
lú = 3-U$_5$ =(?) tašlīšu, Beifahrer (Frankena OLZ 51 134)

593,9 Zahl 3,20 (d.h. $3^{20}/60$, 200 usw.)
šarru, König (Labat AS 16 259f.)

---

594 (321) ur$_4$ = arāru, Krampf haben o.ä. (Landsberger MSL 9 213ff.)

---

595 (322) Lw. ṭu (j.); puš$_4$ (bab. j.)
gín = pāšu, Beil
gín = šiqlu, Scheqel; 8 $^1/_3$ g ($^1/_{60}$ manû); o,6 qm ($^1/_{60}$ mušarû)
tùn = takāltu, Magen?
= tùn-bar = sapsapu, Kinnbart, Ziegenbart
= TÙN-lá = mušpalu, Tiefe

---

596 peš = ḫumṣīru, Maus oder Ratte
= péš-sìla-gaz = ḫulû, Spitzmaus
= péš-tur = pērurutu, Hausmaus
( ) = péš-(giš-)ùr-ra = arrabu, Siebenschläfer?
= péš-ḫul = ḫulû, Spitzmaus
= péš-a-šà-ga = ḫarriru, Wühlmaus

597,9 Zahl 4

---

597 (323) Lw. šá (j.); níg/k/q (j.); gar (j.)
Längenmass NINDA (6m; 12 ammatu), cf CAD A/I 245a
níg-, nì- bildet Abstrakta, siehe n5, 6, 80, 84, 85, 97, 112, 446, 481 und 589 jeweils am Schluss
ninda = akalu, Brot; kusāpu, do
gar = šakānu, setzen; šiknu, Art; ^{lú}gar = šaknu, Statthalter (cf Vf. AfO 23 9f., CAD A/I 245a und 296)
= níg-kud-da = miksu, eine Abgabe; ^{lú}níg-kud-da bzw. lú-níg-kud-da = mākisu, Einnehmer
^{ku_6} = níg-bún-na = šeleppû, Schildkröte
= níg-na = nignakku, Räucherbecken
= níg-nu-tuku = lapnu, arm
= níg-gán-gán = (e)gemgīru usw., Rauke
= níg-sag-íla = nigsagilû o.ä., Stellvertretung
= níg-tab-tur-ra = huluppaqqu, eine Pfanne
^{dug} = níg-ta-ḫab = kukkubu, ein Opfergefäss
= níg-dìm = pannigu, ein Gebäck

= ninda-kaskal = ṣidītu, Proviant

túg = níg-lám = lamaḫuššû, ein Festgewand

= NÍG-DU = kudurru, Grenze

= NÍG-DU = naptanu, Mahlzeit

túg = NÍG-ÍB-LÁ = ḫuṣannu, Leibbinde

kuš = NÍG-NA$_4$ = kīsu, Geldbeutel

( ) = ninda-ì-dé-a bzw. -dé-àm = mirsu, Rührkuchen

giš siehe n295

= níg-ka$_9$ = nikkassu, Abrechnung

= NÍG-sila$_x$-gá = līšu, Teig

= níg-ga = makkūru, namkūru, Eigentum

urudu = níg-kalag-ga, AHw 787b, Reiner RA 63 170f.

= gar-ra = uḫḫuzu, überzogen

= níg-dé-a = biblu, Hochflut

= níg-šu = būšu, bušû, Eigentum; bab. a. jedoch ša qāt, unterstellt, gehörig, zur Verfügung von (ARMT 15 p92)

= níg-šu-luḫ-ḫa = nemsû, Waschbecken

= NÍG-UD-DU = lītu, Macht, Sieg

= níg-àr-ra = mundu, Feinmehl

(giš) = níg-gul = akkullu, Picke o.ä.

usw. = níg-dím-dím-mu-u usw., AHw 787a

= níg-pà-da = mukallimtu, Kommentar

= NÍG-ME-GAR = išdiḫu, Gewinn

lú = gar-uš$_4$ = šākin ṭēmi, ein hoher Beamter

dug = níg-dúr-bùr = namzītu, Maischbottich

= ninda-$^2/_3$-sìla = kamānu, ein Kuchen (K 2001+ I 18)

= níg-tuku = šarû, reich (s./w.); mašrû, Reichtum

598a Lw. iá (j.)

(324) Zahl 5

d = Í-gì-gì (Göttergruppe, Kienast AS 16 142)

= nam-V = ḫamištu, Fünfergruppe

598b Lw. àš (in der kassit. Endung -iá-àš)

(325) Zahl 6

598c Zahl 7

d = Imin-bi = Sebettu (nicht Sibi^{bi}; Frankena BiOr 18 206b, Fitzmyer Sefîre p36f.)

598d Zahl 8

598e Zahl 9. Cf n363

Erster Anhang: DIE LESUNG EINIGER TERMINI DER EXTISPIZIN

10 = gír = padānu

15 = ka-dùg-ga, cf Goetze JCS 11 103

60,27 = pap-ḫal = pušqu

68 und = šub-^{giš}gu-za bzw. šub-aš-te = nīd(i) kussî

70 = na = mazzāzu

74 = bar = (iš)pallurtu

= bar = zâzu (Nougayrol RA 62 46ff.)

76 = máš = ṣibtu

101 = SUR = maṣraḫu (Biggs RA 63 161ff.)

104 = sa-ti = kidītu

133 = ká-é-gal = bāb ekalli

= KÁ-GAL = abullu

143 -tu = KÁM-tu = erištu

147 = zí = martu

167 = duḫ = piṭru

-tu = piṭru-uš-tu; auch DUḪ-UŠ

172 = izi-gar = nipḫu

230 = gag-ti = sikkat ṣēli

= gag-zag-ga = kaskasu

237 = dagal = tarpašu, rupšu

280 = dag = šubtu (Vf. BiOr 14 193)

295 = pa = larû

298 = AL-TE = nīru

314 = kišib = kunukku

322 = kal = danānu

348 = DUN_4 = dēpu (AHw 167a, cf Goetze JCS 11 104)? nīru (Nougayrol RA 44 12f.)?

354 = šu-bat (Vf. BiOr 14 193)

= šu-si = ubānu; + (= -mur-$murub_4$) = ubān ḫašî qablītu

362  = GAM = pilšu

384 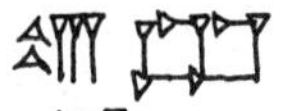 = šà-nigin = irrū saḫirūtu, tīrānū

401  = mur = ḫašû

406  -tu = KAM-tu = erištu

411  = bùr = šīlu

 = u = ubānu; +  (= -mur-murub$_4$) = ubān ḫašî qablītu

419  = sagšu = kubšu

427  = ge$_6$ = tarāku

449 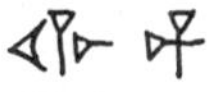 = igi-bar = naplastu

457  = silim = šulmu

 -ḫu/ḫi = diḫu/i, cf ṣ/ziḫḫu (Landsberger MSL 9 118)

461  = ki-gub = mazzāzu

 = ki-tuš = šubtu (Vf. BiOr 14 193)

471  = bà = amūtu

532  = ME-NI = bāb ekalli

536 giš  = tukul = kakku

554  = SAL-LA = ruqqu

556  -tu = eriš-tu

579  = íd = nāru

592  = sig = qutnu

595  = tùn = takāltu

597  = níg-tab = naṣraptu

Zweiter Anhang: MASSE UND GEWICHTE

Hohlmasse:

kurru 111; emāru 208; pānu, pars/šiktu 383, 480, cf nach 583; sūtu 74, cf 295, 339, 340, 341; qû 62

Flächenmasse:

buru 411; eblu 69, cf 214; ikû 105 I; muš/sarû "152"; šiqlu 595

Längenmasse:

bēru 166; UŠ 211; NINDA 597; qanû 85; ammatu 318; ubānu 354; weiter aslu, 522 und ṣuppān (vSoden ZA 58 192)

Gewichte:

biltu 108* und 106; manû 342; šiqlu 595; uṭṭetu 367; weiter kisal 249

Dritter Anhang: ALPHABETISCHE LISTE DER DETERMINATIVE

I 480; II 570; àm 579; anše 208; d, dingir 13; didli 2; dug 309; é 324; f 554;

gada 90; gi 85; giš 296; gu_4 297; ha 589; ḫá und ḫi-a 396+404; ia_4 229; íd 579; iku 105 I; im 399 (zweimal); iti, itu 52; kam 406; kám 143; ki 461; ku_6, kua 589; kur 366 (zweimal); kuš 7; lú 330; m 480; me 532; meš 533; mí 554; min 570; mul 129a; munus 554; mušen 78; na_4 229; p 480; sag 115; sal 554; sar "152"; síg 539; še 367; šim 215; ta-àm 139; te 376; túg 536; ú 318; udu 537; ul 441; urudu 132; uzu 171; zá 229; zì 536

III ALPHABETISCHE LISTE AKKADISCHER UND SUMERISCHER LAUTWERTE

VORBEMERKUNGEN:

Eine ausführliche "Liste alphabétique des valeurs" (d.h. der sumerischen und akkadischen Lautwerte) findet sich bei Labat, Manuel[1] (1948) p248-277, ein vollständiges "Alphabetisches Register der akkadischen Lautwerte" bei vSoden + Röllig Akk.Syll.[2] (1967) p65-74, eine Liste der sumerischen Lautwerte bei Deimel ŠL III/1 (1934), Deimel + Gössmann ŠL I[3] (1947) p1*-46* und Thureau-Dangin Les homophones sumériens (1929). Diese Listen sind leider nicht ganz einheitlich. Deimel verwendet zur Bezeichnung der Homophone statt Akut und Gravis die Indexziffern $_2$ und $_3$. vSoden setzt Akut und Gravis im allgemeinen auf den ersten Vokal des Lautwertes (ebenso meine Liste), während Labat im Anschluss an Thureau-Dangin für die mehrsilbigen Lautwerte folgendermassen vorgeht: umun, umún, umùn, úmun, ùmun, $umun_6$; [bara], bára, bàra, bará, barà, $bara_6$ usw. Auch sonst weisen die zitierten Listen mehrere, zum Teil störende Unterschiede auf. Man darf wohl hoffen, dass Manuel[5] eine mit Akk.Syll.[2] übereinstimmende, vollständige und massgebliche Liste der Lautwerte enthalten wird. Die folgende Zusammenstellung ist nicht vollständig. Sie soll nur den Gebrauch meiner Zeichenliste erleichtern und die Entzifferung moderner Umschriften ohne Auflösung der Logogramme (dazu Krecher OLZ 65 352ff.) ermöglichen.

’

’a/e/i/u 397; $’a_4$ 589

a

a 579; á 334; à 383; a_4 579; a’ 397; ab 128; áb 420; àb 145; àba 145; abgal 87; abzu 6; ad 145; ád 10; àd 537,65; adab 381; adda 69; ag 97; ág 183; aga 347; $agarin_x$ 237; agrig 452; aḫ 398; áḫ 331; áḫa 331; aj(j)a/e/i/u nach 579; ak 97; àka 314; akkil 92a; al 298; àlad 323; alam 358; alla 560; ālu 38; am 170; àm 579; am_x 383; ama 237; amar 437; amaš 293; amat 558; ambar 522; an 13; ana 480; anše 208; ap 128; áp 420; àp 145; apin 56; aq 97; ar 451; ár 306; àr 401; ara 353; ára 381; arad 50; arḫuš 271; ari_x 295; arrap 124,42; aru 295; aru_x 295; as/ṣ 131; ás/ṣ 339; as_4 522; asal 44; $asal_x$ 579; asari 44; aš 1; áš 339; àš 598b; ašgab 104,6; aškud 334; ašnan 367; at/ṭ 145; át/ṭ 10; aw 383; az 131; azag 468; azalag 536; azu 181

b

ba 5; bà 472; bab 60; babbar 381; bābu 133; bad 69; bàd 152[8]; bad_4 461; bad_5

449; baḫ 78; bàḫ 355; bak 78; bal 9; bala 9; balag 352; ban 439; bán 74; bàn 144; bànda 144; banšur 41; bap 60; bappir 225; baq 78; bar 74; bár 344; bára 344; bat/ṭ 69; be 69; bé 214; bētu 324; bi 214; bí 172; bi$_4$ 69; bibra 550; bik 592; bil 172; bíl 173; biltu 108*; bir 400; bir$_5$ 79; biš 346; bit/ṭ 324; bít 69; bītu 324; bu 371; bú 166; buk 3; bul 515; búl 11; bùl 9; bulug 96; buluḫ 2; bun 510; bún 30; bur 349; búr 11; bùr 411; buranun 381; buru$_5$ 79a; buru$_8$ 2; buru$_x$ 54; buš 166; būtu 332

d

da 335; dà 230; dab 537; dáb 124; dad 63d; dadag 381; dag 280; dàg 229; dagal 237; daḫ 169; dak 280; dàk 229; dal 86; dalla$_x$ 449; dam 557; dan 322; danna 166; dap 537; dáp 124; daq 280; dàq 229; dar 114; dàra 100; dara$_4$ 540; daš 575; dáš 480; dat 63d; de$_4$ 376; di/e 457; dí 396; dì 73; dib 537; dida 214; didli 2; diḫ, díḫ 134; diḫ$_x$ 433; dik 231; dil 1; dili 1; díli 377; dìlib 118; dílim 377; dilmun 231 und 554; dim 94; dím 440; dìm 150; dim$_4$ 60; din 465; dingir 13; dip 537; diq 231; dir 123; dír 114; diri 123; dirig 123; diš 480; du 206; dù 230; du$_6$ 459; du$_8$ 167; du$_{10}$ 396; du$_{11}$ 15; du$_{12}$ 574; du$_{14}$ 330; dub 138; dug 309; dùg 396; dug$_4$ 15; dugud 445; duḫ 167; duk 309; dúk 574; dul 459; dùl 329; dul$_6$ 459; dum 207; dumu 144; dun 467; dup 138; duq 309; dur 108; dúr 536; dùr 208; dúru 536; durun 536; dusu 85; dúsu 208

e (siehe auch i !)

e 308; é 324; è 381; e$_4$ 579; e$_{11}$ 459; edin 168; eduru 583; égi 554,84; egir 209; el 564; él 205; èl 13; elam 433; eli 412; ellag$_x$ 400; em$_4$ 32; eme 32; ème 208; en 99; én 546; en$_6$ 148; engar 56; enku 332; ensi 99; énsi 295; enšada 295I; ér 579; eren 541; eri 38; eridu 87; erim 393; érim (172,51ff. und) 79; érin 393; eriš 556; és 472; esag$_x$ 261; esi 322; esir 579; ésir (487 und) 579; eš 472; éš 536; èš 128; eš$_{15}$ 212; eša 579; èše 69; ezen 152

g

ga 319; gá 233; gab 167; gáb 88; gaba 167; gada 90; gag 230; gal 343; gál 80; gal$_4$ 554; gal$_5$ 376; gala 211; galga 278; gam 362; gám 406; gàm 60*; gamun 465; gan 143; gán 105 I; ganba 461; gap 167; gáp 88; gar 597; gàr 333; garza 295; gaṣ 192; gaš 214; gašan 350; gat 90; gát 63a; gàt 63c; gaz 192; ge$_6$ 427; géme 558; gešpu 296; géšpu 354; geštin 210; geštu 383; géštu 296; gi/e 85; gì 480; gi/e$_4$ 326; gi$_6$ 427; gib 67; gíb 228; gibil 173; gíbil 548; gíd 371; gidim 576; gidim$_4$ 577; gidri 295; gig 446; gigi 326a; gigir 486; giguru 411; gil 67; gíl 483; gim 440; gin 206; gín 595; gìn 366; gíp 228; gir 346; gír 10; gìr 444; gir$_4$ 430; gira

kis/š 425; kis$_x$ 296; kisal 249; kislaḫ 461; kiši$_8$ 281a; kiši$_9$ 290; kišib 314; kit/ṭ 313; kit$_9$ 90; ku 536; kú (gu$_7$) 36; kù 468; ku$_4$ 58; ku$_6$ 589; ku$_7$ 110; kua 589; kub 206; kud 12; kul 72; kúl 429; kulla 567; kum 191; kúm 172; kun 77; kun$_4$ 142; kun$_8$ 76; kunga (547 und) 208; kup 206; kùp 88; kur 366; kúr 60; kur$_4$ 483; kurnun 482; kurun 214; kus/š 7; kús/ṣ 565; kùš 318; kuš$_x$ 212; kut 12

l

la 55; lá 481; là 75; la$_7$ 381; lab 322; lad 366; lag 314; lagab 483; LAGAB×KÙ 513; LAGAB×NÍG 528; lagaš 71; laḫ 381; láḫ 393; làḫ 321; laḫ$_4$ 206a; laḫar 494; lak 314; lal 481; lál 482; làl 109; lam 435; LAM×KUR 436; lamma 322; lap 322; laq 314; larag 381; larsa(m) 381; lat/ṭ 366; li/e 59; lí/é 231; lì 449; li$_9$ 172; lib 355; líb 322; lìb 384; libir 455; lid 420; lig 575; liḫ 381; líḫ 393; lìḫ 321; lik 575; lil 336; líl 313; lim 449; límmu 124,42; lip 355; líp 322; lìp 384; liq 575; lis/š 377; lit/ṭ 420; liz 377; lu 537; lú 330; lù 345; lu$_4$ 565; lud 309; lugal 151; lugud 69; lúgud 483; luḫ 321; lukur 554; lul 355; lum 565; lup 355; lut/ṭ 309

m

ma 342; má 122; mad 366; maḫ 57; mal 233; mál 123; mam 471; mám 554; man 471; mar 307; marad 437; mas/ṣ/š 74; máš 76; maškim 295e; máškim 295d; mat/ṭ 366; me 532; mé 427; mè 98; me$_5$ 579; mes 314; meš 533; méš 532; mèš 314; meze 426; mi 427; mí 554; mì 532; mid 69; miḫ 57; mil 212; mim 554 und nach 556; mìm 471; min 570; mìn 471; min$_4$ 556; mir 347; mis/ṣ/š 314; míš 533; mit/ṭ 69; mītu (69 und) 342; mu 61; mú "152" (nach 331); mu$_4$ 536; muati 295; mud 81; múd 69; mug 3; muḫ 412; muḫaldim 61; muk 3; mul 129a; mun 95; munu$_4$ 60; munus 554; muq 3; mur 401; murgu 567; múru 337; murub$_4$ 337; muš 374; múš 102; mùš 103; mušen 78; mut/ṭ 81

n

na 70; ná 431; nà (AG) 97; na$_4$ 229; na$_5$ 353; nab 129; nad 366; nag 35; naga 165; naga$_x$ 192; nagar 560; nak 35; nam 79; nammu 484; nanna 331; nánna 331; nap 129; naq 35; nar 355; nàr 325; naš 471; nat 366; nát 142; ne 172; né 231; nè 444; nenni 515,9; ni 231; ní 399; nì 597; nibru 99; nid 211; nidba 469; nidlam 554; nig 563; níg 597; nigin 529; nígin 483; nigu 367; nik 563; ník 597; nim 433; ním 556; nimgir 347; nímgir 348; nimin 473; nin 556; nina 200; ninda 597; nínda 176; ninni$_5$ 375,45; ninnu (475 und) 324; niq 563; níq 597; nir 325; nír 586; niraḫ 374; nis/š 471; nisaba 367; níš 296; nit/ṭ 211; nita 211; níta 50; nu 75; nú 431; nù 433; nu$_x$ (71 und) 296; num 433; núm 565; numun 72; númun 66;

su 7; sú 6; sù 373; su$_{6}$ 18*; su$_{15}$ 214; sud 373; súd 83; sug 522; suḫ 102; sùḫ 569; suḫ$_{4}$ 313; suḫur 403; suḫuš 201; suk 522; sùk 49*; sukkal 321; sukud 190k; sul 467; sum 164; súm 555; sumu 164; sumun 69; sumuqan 444; sun 69; sún 429; suq 522; sur 101; súr 329; sùr 405; sur$_{7}$ 461; sūtu 74,100

ṣ

ṣa 586; ṣab 393; ṣaḫ 172; ṣal 231; ṣap 393; ṣar 491; ṣi/e 147; ṣí/é 84; ṣib 395; ṣil 87; ṣíl 427; ṣip 395; ṣir 374; ṣu 555; ṣú 6; ṣum 555; ṣur 437

š

ša 353; šá 597; šà 384; ša$_{4}$ 206; ša$_{6}$ 356; ša$_{21}$ 214; ša$_{x}$ 233; šab 295d; šab$_{5}$ 295m; šabra 295f; šad 366; šag 115; šagan 428; šaḫ 53; šàḫ 313; šak 115; šakira 46; šakkan 444; šal 554; šam 318; šám 187; šàm nach 176; šáman 428; šap 295d; šap$_{5}$ 295m; šaq 115; šar "152" (nach 331); šár 396; šàr 151; šar$_{4}$ 471; šar$_{5}$ 399; šarru 151; šárru 471; šas/ṣ 331; šat/ṭ 366; še 367; šè 536; še$_{20}$ 449; šèg 579; šeg$_{6}$ 172; šen 8; šèn 79; šennur 228; šeš 331; šéš 544; ši 449; šì 592; šib 532; šibir 413; šid 314; šig 592; šiḫ 53; šik 592; šík 539; šika 55; šil 12; šim 215; ŠIM×A 224; ŠIM×NINDA 225; šin 8; šinig 93; šip 532; šiq 592; šíq 539; šir 71; šír 371; šìr 152; šir$_{4}$ 171; šīru 171; šiṣ/š 331; šit/ṭ 314; šíta 233,40; šìta 83; šita$_{x}$ 62 Schluss; šitim 440; šiz 331; šu 354; šú 545; šu$_{13}$ 214; šu$_{14}$ 126; šu(m/w)ātu 61; šub 68; šuba 586; šubur (53 und) 556; šud 373; šud$_{x}$ 26; šudul 549; šudun 549; šug 469; šuḫ 102; šuk 469; šuku 469; šukur 449; šul 467; šùl 457; šum 126; šúm 164; šùm 61; šum$_{4}$ 69; šun 8; šup 68; šuq 469; šur 101; šúr 329; šùr 71; šur$_{4}$ 482; šurim 494; šut/ṭ 373; šutug 85

t

ta 139; ta$_{5}$ 381; tab 124; tabira 132; tad 63d; tag 126; tág 280; taḫ 169; táḫ 167; tak 126; ták 280; tàk 229; tak$_{4}$ 63d; tal 86; tál 383; tala 86; tála 383; tam 381; tan 322; tap 124; taq 126; táq 280; tàq 229; tar 12; tár 114; tara 12; tàra 100; tas/ṣ/š 575; tat 63d; taz 575; te 376; te$_{9}$ 73; tén 465; téš 575; ti 73; tì 94; tib 537; tibira 132; tik 106; til 69; tíl 459; tilla 359; tilmun 231 und 554; tim 94; tin 465; tip 537; tiq 106; tíq 231; tir 375; tír 12; tirum 343; tís/ṣ/š 575; tiš 480; tišpak 102; tiz 480; tíz 575; tu 58; tú 381; tù 206; tu$_{4}$ 207; tu$_{5}$ 354; tu$_{6}$ 16; tu$_{9}$ 536; tu$_{x}$ 459; tub 138; túb 352; tug 574; túg 536; tuḫul 561; tuḫ 167; tuk 574; tùk 309; tuku 574; tuku$_{4}$ 515; tukul 536; túkul 536; tul 459; túl 511; tul$_{5}$ 459; tum 207; túm 206; tùm 434; tum$_{4}$ 433; tum$_{11}$ 434a; tùn 595; tup 138; túp 352; tuq 574; tùq 309; tur 144; túr 108; tùr 87a; tur$_{7}$ 536; tuš 536

ṭ

ṭa 335; ṭá 139; ṭà 396; ṭab 124; ṭaḫ 169; ṭáḫ 167; ṭal 86; ṭam 557; ṭám 381; ṭap 124; ṭar 12; ṭár 114; ṭàr 100; ṭat 63d; ṭè 172; ṭe$_4$ 376; ṭi/e 457; ṭí/é 396; ṭà 73; ṭi$_4$ 376; ṭib 537; ṭil 1; ṭim 94; ṭím 440; ṭip 537; ṭir 123; ṭír 12; ṭir$_5$ 375; ṭiš 480; ṭu 595; ṭú 58; ṭù 206; ṭúb 352; ṭuḫ 167; ṭul 511; ṭum 207; ṭup 138; ṭur 108; ṭúr 536; ṭùr 144

u

u 411; ú 318; ù 455; u$_4$ 381; u$_5$ 78a; u$_6$ 449; u$_7$ 461,280; u$_8$ 494; u$_x$ 49* ; u' 397; ù' 494; ub 306; úb 536; ùb 424; ubara 152^4; ubur 291; ud 381; UD+SAL+ḪÚB 391; udu 537; udun 415; ug 130; uga 318; ugu 412; ugula 295; ugur 417; uḫ 398; úḫ 392; uk 130; ukkin 40; uku 347; úku 482; ùku 312; úkur 343; úkuš 550; ul 441; ùl 75; ul$_4$ 10; um 134; umbin 92b; umbisag 314; umbisag$_x$ 317; umun 411; un 312; únu 376; ùnu 420; unug 195; up 306; úp 536; uq 130; ur 575; úr 203; ùr 255; ur$_4$ 594; ur$_5$ 401; uraš 535; urta (535 und) 556; uri 359; úri 331; ùri 331; úrim 331; uru 38; ùru 331; uru$_4$ 56; urudu 132; us/ṣ 372; ús/ṣ 211; usan, úsan 107+327; ùsan 394c; usduḫa 494; uṣ$_4$ 131; uš 211; úš 69; uš$_4$ 536; uš$_{11}$ 17; ušumgal 343; ut/ṭ 381; uta 381; utu 381; utua 287; utug 577; utul 420; útul 406; uz 372; úz 211; ùz 122b; uz$_4$ 131; uzu 171; úzu 181

w

wa/e/i/u 383; wa$_6$ 342

z

za 586; zá 229; zà 332; zab 393; zabalam 586; zabar 381; zadim 4; zag 332; záḫ 589; zak 332; zák 295; zal 231; zálag 393; zap 393; zaq 332; záq 295; zar 491; zeḫ 554; zi/e 84; zí/é 147; zì 536; zib 395; zíb 190; zik 190; zík 592; zil 87; zimbir 381; zip 395; ziq 190; zíq 592; zir 72; zis 69; ziz 69; zíz 339; zu 6; zú 15; zubu 60* ; zuen 99; zuk 522; zum 555; zuq 522; zur 437

IV NACH DEN KEILSCHRIFTZEICHEN GEORDNETER INDEX ZUR SUMERISCHEN GRAMMATIK

VORBEMERKUNGEN:

Die Zitate beziehen sich im allgemeinen auf Falkenstein, Das Sumerische (Handbuch der Orientalistik, 1959).

F. I und II = Falkenstein, Grammatik der Sprache Gudeas von Lagaš I und II (1949 bzw. 1950).

Kärki, Die Sprache der sumerischen Königsinschriften der frühaltbabylonischen Zeit (Studia Orientalia 35, 1967).

Jestin, Le verbe sumérien I (1943), II (1946) und III (1954).

Poebel, Grundzüge der sumerischen Grammatik (1923, Nachdruck ohne Angabe des Verlags ± 1966).

(Jacobsen, Assyriological studies 16 71-102 wurde aus praktischen Gründen nicht berücksichtigt.)

Für die "überhängenden Vokale" siehe F. I §3.

Für die Pleneschreibungen siehe F. I §5, Kärki 11ff.

Für die graphische Konsonantenverdoppelung siehe 19f., F. I §4, Kärki 10f. Nach Landsberger lassen Schreibungen wie gùn-a auf die Aussprache gũna schliessen, cf Krecher ZA 60 202. Bei der Doppeltschreibung werden die folgenden Silbenzeichen verwandt:

ba, da, ga, gá, ḫa, la, lá, ma, na, ra, rá, sa, za — siehe dafür im allgemeinen unter 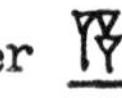 = a, so z.B. für an-na <* an-a, dím-ma <* dím-a, ì-gar-ra-ne <* ì-gar-a-ne;

bé, dè, ge, gé, ge_4, ḫe, ke, ke_4, le, me, né, re, ré, re_6 — siehe dafür im allgemeinen unter  = e, so z.B. für an-né < an-e, ì-gar-re <* ì-gar-e;

bu, du(?), ḫu, lu, mu, nu, ru — es handelt sich hier häufig um nach u-haltigen Wurzeln aus e entstandenes u (cf 44/§29/a, Poebel §470ff., Kärki 100f., 101f., 103, 104+107 und 107f.; statt dieser Silbenzeichen kommt auch  = ù oder  = u_8 vor).

Für Veränderungen der Nomina siehe F. I §18.

Für Veränderungen der Verbalwurzeln siehe F. I §39.

Für Doppeltsetzung von Nomina siehe 36f., Poebel §145f.

Für Reduplizierung von Verben siehe 42f., 57.

Für -d- < -ed- siehe ausser 43/§25/1-3, 44/§29/b, 45/§30/d und 45/§31/b auch Edzard, Heidelberger Studien ... Falkenstein 29ff. und ZA 61/II ..., sowie Yoshikawa, JNES 27 251ff.

1 -aš = Term.-Postp. mit vorausgehendem a-Laut, 39/f, siehe = -še;
Personenzeichen Prät. und Norm. Pl. 3. nach a-Laut, 44f.

2 didli, 37 oben, Poebel §149

5 ba- = Lok.-Präfix, 46, 59f., Poebel §598, vSoden AS 16 103ff.
-ba = Suff. Sg. 3. sächl. + -a(k) (Gen.) oder -a (Lok.), 33f., 38f., 53; nach Zahlen siehe = -bi;
siehe = -a-ba
= ba-an- = Lok.-Präfix ba- + Personenzeichen Prät. Sg. 3. pers. oder Pl. 3., 44;
Lok.-Präfix ba- + pronominales Element der dimensionalen Infixe Sg. 3. pers., 47-49;
<* ba-b-e-, 48/2/δ
= ba-ta- = Lok.-Präfix ba- + Abl.-Instr.-Infix, 49/6, oder Präfix *bta-, 46
= ba-ni- <* ba-b-e-, 48/2/δ, F. II p184f.
= ba-né- siehe = -né-
= ba-e- kann aus = ba-ni- entstanden sein
= ba-ra- = Lok.-Präfix ba- + Dat.-Lok.-Infix, 48/1, oder Präfix *bra-, 46, 49/5;
Präformativ, 50f.
= ba-da- = Lok.-Präfix ba- + Kom.-Infix, 49/4, oder Präfix *bda-, 46
= ba-ši- = Lok.-Präfix ba- + Term.-Infix, 48/2, oder Präfix *bši-, 46

6 -zu, dein, 33; 43f./§27/1 (pron. Konj.)
= -zu-ne-ne, euer, 33
= -zu-e-ne-ne, euer, 33

13 an- = Konj.-Präfix ì + n, 45 unten, Poebel §542, siehe = in-
-an- = Personenzeichen Prät. Sg. 3. pers., Pl. 3. mit vorausgehendem a-Laut, 44;
Akk.-Infix Sg. 3. sächl. mit vorausgehendem a-Laut, 47;
pronominales Element der dimensionalen Infixe Sg. 3. pers. mit vorausgehendem a-Laut, 47-49, 35 oben;
<* -b-e- mit vorausgehendem a-Laut, 48/2/δ, F. I p208
-an = Personenzeichen Präs.-Fut. und Norm. Sg. 1. und 2. nach a-Laut, 44f.
$-am_6$, wie = -àm, Jestin II 326ff.

= an-da-<*i-n-da-, 49/4/γ

15 -dug_4, -du_{11} in zusammengesetzten Verben ("Hilfsverbum") cf F. I p128, Jestin I 52f., Poebel AS 14 100f.

-ka = -(a)k (Gen.) + -a (Lok.), 38;
-(a)k (Gen.) + -a(k) (Gen.), 38, F. I p83f. und II p221ff., Poebel §367ff.

= -ka-ne-ne = -(a)k (Gen.) + -anene (Suff. Pl. 3.), 38

= -ka-ni/né = -(a)k (Gen.) + -ani/e (Suff. Sg. 3. pers.), 38

38 uru, Stadt, "Relativsatz" einleitend Poebel §271f.

iri- wie / = i-rí/ri-

-rí- <* -e-r-e-, 48/2/β

55 la- = Negationspräform. vor ba-, 50/f/α

-la < -ra (Dat.-Postp.), 24/c/c, 39 oben (in ^{d}En-líl-la)

59 li- = Negationspräform. vor bí-, 50/f/α

61 mu als "Präp." 40, im Kausalsatz Poebel §435f.

mu- = Konj.-Präfix, 46, 58f., cf 48/2/α

-mu (ĝu), mein, 33; 43f./§27/1 (pron. Konj.)

= mu-ba-, F. I p202 und II p163

= mu-rí-<* mu-e-r-e-, 48/2/β

= mu-na-<* mu-n-a-, 48/1 (Sg. 3. pers.);
<* mu-ene-a-, 48/1/ζ

= mu-na-ni-<* mu-n-a-b-e-, 48/1 (Sg. 3. pers.) und 48/2/δ

= mu-ri-<* mu-e-r-e-, 48/2/β

= mu-ne-<* mu-ene-e, 48/2/ζ, cf 48/1/ζ

= mu-túm, Sendung, 52/c/β, Poebel §123, oben p41

= mu-ni-<* mu-n-e-, 48/2/γ;
<* mu-b-e-, 48/2/δ

= mu-né- siehe = -né-

= mu-e- kann aus = mu-ni- entstanden sein

= mu-e-da-, 49/4/β

= mu-e-ši-<* mu-e-še-, 48/3/β

= mu-un-na-< mu-na-, F. I p21, Kärki 11

= mu-un-ne-< mu-ne-, F. I p21, Kärki 11

= mu-un-da-, 49/4/γ

= mu-un-ši-<* mu-n-še-, 48/3/γ

= mu-ra-<* mu-e-r-a-, 48/1/β

= mu-da- < * mu-?-da-, 49/4/α ;
< * mu-e-da-, 49/4/β ;
< * mu-n-da-, 49/4/γ
= mu-ši- < * mu-?-še-, 48/3/α ;
< * mu-e-še-, 48/3/β ;
< * mu-n-še-, 48/3/γ
/ = mu-ù/u$_8$-da- < * mu-e-da-, 49/4/β
= mu-šè- < * mu-n-še-, 48/3/γ

70 na- = Dat.-Präfix, 46;
affirmatives Präform., 49f., Falkenstein ZA 47 181ff.;
Negationspräform. vor ma-, 50/f/α ;
Prohibitivpräform., 50/g
-na- = Dat.-Lok.-Infix, 48/1 (Sg. 3. pers.);
< * -ene-a-, 48/1/ξ
-na = Suff. Sg. 3. pers. + -a(k) (Gen.) oder -a (Lok.), 33, 38f.;
-(e)n (Personenzeichen Präs.-Fut. und Norm. Sg. 1. und 2., 44f.) + -a (Nominalisierungssuff.), 52, Kärki 128
= -na-an-na, ohne, Wilcke ZA 59 84
= (-)na-nam, er ist (akkad. -ma)
() = na-me(-a), jeder, 32, 35, Poebel §265ff.

73 -dì- wie = -da-, 49/4

74 bar, als "Präp." 40, im Kausalsatz Poebel §435f.

75 nu- = Negation, Negationspräform., 50/f; -nu F. I p150
= nu-mu- kann aus nu-im-(ma-) entstanden sein, Krecher Sum. Kultlyrik 95
= nu-uš(-), o dass doch!, AHw 563a, Jacobsen AS 16 74b, Landsberger WZKM 56 125
() = nu-me(-a) wie () = na-me(-a)

78 ḫu- = Prekativpräform., 50/d; Beteuerungspräform., Kärki 319ff.

79 nam, als "Präp." 40
nam- bildet Abstrakta, 35, Poebel §121;
< * na-i-b-, F. I p218, Falkenstein ZA 47 181ff.;
< * na-i-b-e-, F. I p208
-nam = n + -àm(, enklit. Kop., 43/§26)
= nam-ba- < * na-ba-, 50/g/α
= nam-mu- < na-mu-, Poebel §672 (F. I p218)
= nam-bí- < * na-bí-, 50/g/α
= nam-bi-šè, daraufhin (akkad. ana šatti)

= nam-ma- <* na-ma- <* na-i-b-a-, Falkenstein ZA 47 218

= nam-mi- <* na-mi- <* na-i-b-e-, F. I p21.218.227, Falkenstein ZA 47 211ff.

86 -ri- <* -e-r-e-, 48/2/β

-ri, jener, 34;

isolierende Postposition, Krecher ZA 57 12ff.

= dal-ba-an-na, als "Präp." 40

99 -en = Personenzeichen Präs.-Fut. und Norm. Sg. 1. und 2., 44f.;

Akk.-Suff. Sg. 1. und 2., 47

-en- nach ḫé- statt -in-

= en-na, als "Präp." Poebel §383, im Temporalsatz Poebel §435f.

= -en-zé-en = Personenzeichen Präs.-Fut. und Norm. Pl. 2., 44f.;

Akk.-Suff. Pl. 2., 47

= -en-dè-en = Personenzeichen Präs.-Fut. und Norm. Pl. 1., 44f.;

Akk.-Suff. Pl. 1., 47

123 diri, als "Präp." 40

128 ab- = Konj.-Präfix ì + b, 45 unten, Poebel §542, siehe = íb-

-ab- = Personenzeichen Prät. Sg. 3. sächl. mit vorausgehendem a-Laut, 44;

Akk.-Infix Sg. 3. sächl. mit vorausgehendem a-Laut, 47;

<* -b-e- mit vorausgehendem a-Laut, 48/2/δ, F. I p208

-ab im Imperativ cf Poebel §680

= ab-ba-, Poebel §623

132 $-da_5$(-) wie = -da(-), 39/g, 49/4

134 um- = ù + m<b, 50/e, F. I p224;

Akk.-Infix Sg. 3. sächl. mit vorausgehendem u-Laut, 47

139 -ta- = Element des Abl.-Instr.-Infixes, 49/6, F. I §70; auch des Kom.-Infixes, 49/4

-ta = Abl.-Instr.-Postpos., 39/h, 56, Poebel §435f.

-ta und = -ta-àm bei Distributivzahlen, 41

142 / = i-rí/ri-, Präformativ o.ä., Poebel § 508 und 548, Falkenstein Haupttypen 34, id SGL I 114f., Castellino ZA 53 126; wechselt mit = ḫé-ri-, Schramm OrNS 39 407 10' usw.

= i-ni-, siehe = ì-ni-, Kärki 140
143 hé- = Prekativpräform., 50/d; Beteuerungspräform., Kärki 319ff.; obwohl, Poebel §439, cf §427
= hé-ti, Exvoto, siehe zu = ga-ti
= hé-ri-, siehe n142
147 = -zé-en, Andeutung des Plurals im Imperativ, Poebel §675
= zé-me, du (bist), 33
148 (-)in- = Personenzeichen Prät. Sg. 3. pers., Pl. 3. mit vorausgehendem i-Laut (z.B. Konj.-Präfix ì-), 44;
Akk.-Infix Sg. 3. pers. mit vorausgehendem i-Laut (z.B. Konj.-Präfix ì-), 47;
pronominales Element der dimensionalen Infixe Sg. 3. pers. mit vorausgehendem i-Laut (z.B. Konj.-Präfix ì-), 47-49
= in-na- < ì-na- (n231)
( ) = (-)in-nu(-ù), ist nicht vorhanden, Falkenstein ZA 49 66
= in-ne- < ì-ne- (n231)
= in-ni- < ì-ni- (n231)
= in-ga- = Präformativ, 50/c
= in-da-, 49/4/γ
= in-ši- < *i-n-še-, 48/3/γ
151 lugal, König, "Relativsatz" einleitend Poebel §271f.
172 ne, dieser, 34
bí- = Lok.-Term.-Präfix, 46f., 59f.
-dè- wie = -da-, 49/4
-ne- = pronominales Element der dimensionalen Infixe Pl. 2. und 3., 47-49;
< *-e-ene-e-, 48/2 (Pl. 2.);
< *-ene-e-, 48/2/ζ, cf 48/1/ζ
-dè = Kom.-Postpos., 39/g; cf Poebel §364 (-dè nach Infin. mit Pron.-Suff.);
Infin.-Endung, 43/§25/2/a
-dè(-) = -(e)d vor e-Laut, 43/§25/1, 43/§25/3 (Kärki 107f.), 44/§29/b, 45/§30/d, 45/§31/b
-ne = Pluralendung, 37;
Personenzeichen Präs.-Fut. Pl. 3., 44
= -ne-ne, ihr (their), 33; 43f./§27/1 (pron. Konj.)
= -ne-a- < *-ene-a-, 48/1/ζ

203 -úr = Dat.-Postp. mit vorausgehendem u-Laut, 38f.

207 íb- <* i-b-e-, 48/2/δ

(-)íb- = Personenzeichen Prät. Sg. 3. sächl. mit vorausgehendem i-Laut (z.B. Konj.-Präfix ì-), 44;
Akk.-Infix Sg. 3. sächl. mit vorausgehendem i-Laut (z.B. Konj.-Präfix ì-), 47;
pronominales Element der dimensionalen Infixe Sg. 3. sächl. mit vorausgehendem i-Laut (z.B. Konj.-Präf. ì-), 47-49

-ÍB- nach e-Laut lies -éb-

= íb-ta-, 49/6/α

= íb-da-, 49/4/δ

= íb-ši- <* i-b-še-, 48/3/δ

209 egir, als "Präp." 40, im Temporalsatz Poebel §435f.

211 -uš = Term.-Postp. mit vorausgehendem u-Laut, Kärki 82;
Personenzeichen Prät. und Norm. Pl. 3. nach u-Laut, 44f.

= ús-sa, in Datenformeln Poebel §325ff.

212 -iš = Personenzeichen Prät. und Norm. Pl. 3. nach i-Laut, 44f.

214 bé- = Lok.-Term.-Präfix, 46f.

-bé, -bi, sein (its), auch demonstrativ und adverbial, 33f., 53, Poebel §394f. ; nach Zahlen Poebel §131, 261, 294, 307f.;
-bé auch < -bi + -e (Ag.- oder Lok.-Term.-Postp.)

-bi, = -bi-da, und, 53, 56, Poebel §399ff.

-BI(bé) auch = Akk.-Infix Sg. 3. sächl. b + Verbum e, sprechen, Poebel §530a

231 ì- = Konj.-Präfix, 45f., 58f.;
Prospektivpräform. vor bí-, 50/e/α

-né- = Akk.-Infix Sg. 3. pers. n oder sächl. b + Personenzeichen Prät. Sg. 2. e, F. I p161

-ni- <* -n-e-, 48/2/γ ;
<* -b-e-, 48/2/δ

-ni, -né, sein (his), 33f.; nach der Zahl 1 Poebel §309; -né auch < -ni + -e (Ag.- oder Lok.-Term.-Postp.); 43f./§27/1 (pron. Konj.)

= ì-rí- <* i-e-r-e-, 48/2/β

= ì-na-, 48/1 (Sg. 3. pers.);
<* i-ene-a-, 48/1/ξ

= ì-ri- <* i-e-r-e-, 48/2/β

= ì-bí- < ù-bí-, 50/e/α ;

= ì-ne- < * i-e-ene-e-, 48/2 (Pl. 2);
< * i-ene-e-, 48/2/ζ, cf 48/1/ζ
= ì-ni- < * i-n-e-, 48/2/γ
= ì-ga- = Präform., 50/c
= ì-ra- < * i-e-r-a-, 48/1/β
= ì-ma- < * i-b-a-, 48/1/γ
= ì-mi- < * i-b-e-, 48/2/δ

232 -ir/er = Dat.-Postp. mit vorausgehendem i- bzw. e-Laut, 38f.
233 -gá = Suff. Sg. 1. + -a(k) (Gen.) oder -a (Lok.), 33, 38f.
= gá-e, = gá, ich, 33
298 al- = Konj.-Präfix, 46, 59 (cf / = al-du$_{11}$/di, verlangen)
306 -ub- < -íb- nach u-Laut, Jestin II 52
308 e- = Konj.-Präfix, 45f.
-e- = Personenzeichen Prät. Sg. 2., 44;
pronominales Element der dimensionalen Infixe Sg. 2., 47-49
-e, dieser, 34;
= Ag.-Postp., 38, 54; cf 54, F. I p135f. und II p53ff. zum Typ mes-an-né-pà-da;
= Lok.-Term.-Postp., 39/e (cf Vf. BAL 103 zu KH̬ §44); die Verben gál-tak$_4$, öffnen, pa-è, strahlend aufgehen lassen, si-sá, in Ordnung bringen, šu-du$_7$, vollenden werden mit Lok.-Term. konstruiert, F. II §106;
< -ed, 43/§25/1 (Kärki 100f.), 45/§31/b;
< -a, 43/§25/2/a und 3/a;
= Personenzeichen Präs.-Fut. Sg. 1., 2., 3., Norm. Sg. 1., 2., 44f., Poebel §479;
= Akk.-Suff. Sg. 1. und 2., 47
= e-na-, wie = ì-na-
= e-ta- < * i-b-ta-, 49/6/α
= -e-zé = Personenzeichen Präs.-Fut. und Norm. Pl. 2., 44f., Poebel §479
= e-ne, er, 33;
e-ne- < * i-ene-e-, 48/2/ζ, cf 48/1/ζ;
-e-dè = Infin.-Endung, 43/§25/2/a;
Personenzeichen Präs.-Fut. und Norm. Pl. 1., 44f., Poebel §479;
-e-ne = Pluralendung, 37;
Personenzeichen Präs.-Fut. Pl. 3., 44

 = e-ne-ne, sie (they), 33
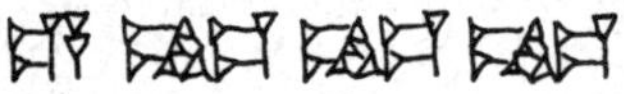 = e-ne-ne-ne, sie (they), F. I p233
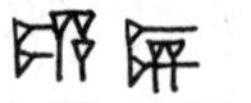 = e-ni-, wie 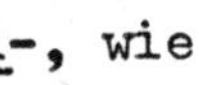 = ì-ni-
 = e-ga- = Präformativ, 50/c
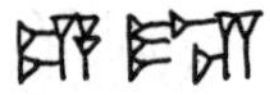 = e-ra-, wie  = ì-ra-
 = e-ma-, wie 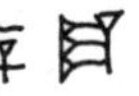 = ì-ma- und  = im-ma-
 = e-da- <* i-e-da-, 49/4/β ;
<* i-n-da-, 49/4/γ ;
-e-da = Infin.-Endung, 43/§25/2
 = -e-še = Partikel der direkten Rede (akkad. -mi), Jestin II 331ff. und III 197f.
 = e-PI-, siehe n383
 = e-me- <* i-b-e-, 48/2/δ
 = e-šè- <* i-n-še-, 48/3/γ ;
<* i-b-še-, 48/3/δ

312  -un- = Personenzeichen Prät. Sg. 3. pers., Pl. 3. mit vorausgehendem u-Laut, 44;
pronominales Element der dimensionalen Infixe Sg. 3. pers. mit vorausgehendem u-Laut, 47-49
-un = Personenzeichen Präs.-Fut. und Norm. Sg. 1. und 2. nach u-Laut, 44f.;
Akk.-Suff. Sg. 1. und 2. nach u-Laut, 47

313  -ke$_4$ = -(a)k (Gen.) + -e (Ag. oder Lok.-Term.), 38, cf Poebel §346
 = -ke$_4$-ne = -(a)k (Gen.) + -ene (Plur.), 38
 = -ke$_4$-éš = -(a)k (Gen.) + -eš (Term.), 38, 34; mit der Bedeutung "weil" 40, Poebel §339ff.

319  ga- = Kohortativpräform., 50
-ga- in in-ga-, ì-ga-, e-ga-, na-ga-, na-an-ga-, nam-ga-, ḫé-en-ga-, ḫé-ga- 50/c, Falkenstein ZA 47 218ff.
 = ga-na, wohlan, 25 unten, F. I §79
 = ga-ti, Exvoto, 52/c/β, Poebel §438, Sollberger TCS 1 p180
 = ga-nam-, F. I p220

324  é, Haus, "Relativsatz" einleitend Poebel §271f.

328 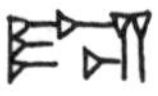 -ra- <* -e-r-a-, 48/1/β ;
= Abl.-Infix, 49/5
-ra = Dat.-Postp., 38f.;
isolierende Postposition, Krecher ZA 57 22f.

330 lú, Mensch, "Relativsatz" einleitend Poebel §271f.; jemand, Poebel §253

337 murub$_4$, als "Präp." 40

335 -da- = Element des Kom.-Infixes, 49/4, F. I §68; auch des Abl.-Instr.-Infixes, 49/6

-da = Kom.-Postp., 39/g, 56; auch Abl.-Instr.-Postp., 39; Infin.-Endung, 43/§25/2

-da(-) = -(e)d mit folgendem a-Laut, 43/§25/1, 43/§25/3, 45/§30/d, 45/§31/b

= -da-nu-me-a, ohne, Poebel §339ff. und 380

339 -áš = Term.-Postp. mit vorausgehendem a-Laut, 39/f, siehe = -šè

342 ma- <* mu-?-a-, 46, 48/1/α ; cf 48/1/β

-ma- <* -b-a-, 48/1/γ , siehe auch = im-ma-

-ma, und, Poebel §415, Sjöberg Mondgott I 38

= -ma-ta- <* -b-ta-, 49/6/α , F. I p216

= ma-ra- <* mu-e-r-a-, 48/1/β

= -ma-da- <* -b-da-, 49/4/δ , F. I p213

= -ma-ši- <* -b-še-, 48/3/δ , F. I p211

353 ša- = affirmatives Präform., 50/b, Falkenstein ZA 48 69ff.

354 šu- wie = ša-, 50/b

= tukum$_x$-bi, wenn, Poebel §423

381 ud, u$_4$, Tag, im Temporalsatz 40, Poebel §435f.

= ud-da, wenn, Poebel §422

383 -PI-, 49/4/ζ , Poebel AS 2 16ff.

-bì, -be$_6$ wie = -bi, -bé

384 šà, als "Präp." 40

396 -ḫi-a (-ḫá) = "Pluralendung", 37

406 -kam = -(a)k (Gen.) + -àm(, enklit. Kop., 43/§26), 38, F. II p32-35; nach Zahlen, 41

= -kam-me-en, Falkenstein ZA 50 77

399 (-)im- = Akk.-Infix Sg. 3. sächl. mit vorausgehendem i-Laut (z.B. Konj.-Präfix ì-), 47

im- <* i-b-e-, 48/2/δ

-IM- nach ḫé- lies -em-

-im = enklit. Kop. -àm( ) nach i-Laut, 43/§26/b

= im-ta- <* i-b-ta-, 49/6/α

= im-ma- < ì-ma- (n231), F. I p21 und 203, Poebel §613ff., vSoden AS 16 103ff.

= im-ma-ta- <* i-b-ta-, 49/6/α
= im-ma-da- <* i-b-da-, 49/4/δ
= im-ma-ši- <* i-b-še-, 48/3/δ
= im-da- <* i-b-da-, 49/4/δ
= im-mi- < ì-mi- (n231), 48/2/δ , F. I p21 und 209, Poebel §590ff.
= im-ši- <* i-b-še-, 48/3/δ

401 ur$_5$ = Pron. Sg. 3. sächl., 34, Poebel §189f. und 234

411 ( ) = u-me-(ni-) siehe ( ) = ù-me-(ni-)

412 ugu, als "Präp." 40

427 -mi- <* -b-e-, 48/2/δ , siehe auch = im-mi-
= mi-ni- <* mu-n-e-, 48/2/γ , 46;
<* mu-b-e-, 48/2/δ , 46

440 -gim u.ä. = Äqu.-Postp., 39f., Heimpel Tierbilder 24ff.

449 igi, als "Präp." 40
ši- = affirmatives Präform., 50/b, Falkenstein ZA 48 69ff.; cf n411
-ši- = Element des Term.-Infixes, 48/3, F. I §67
- x - = igi-x-gál, Bruchzahlen, 40

451 -ar = Dat.-Postp. mit vorausgehendem a-Laut, 38f.

455 ù, und, Poebel §408f.
ù- = Prospektivpräform., 50/e ("wenn du ... getan hast", Futurum exactum, auch Imperativ)
( ) = ù-me-(ni-), Falkenstein Haupttypen 58f., Jestin I 108ff. und III 38f. (Imperativ)
= ù-me-te-, Poebel §510

457 -di- wie = -da-, 49/4, Jestin I 359ff.

461 ki, als "Präp." 40, "Relativsatz" einleitend Poebel §271f.

472 -eš siehe = -éš, Kärki 85;
= Personenzeichen Prät. und Norm. Pl. 3., 44f.;
Akk.-Suff. Pl. 3., 47
= -eš-e, wie = -še, -éš, Falkenstein SGL I 88

532 me, sein (to be), 45/§31/c, 43/§26, Jestin II 337ff.;
interrogatives Element, Poebel §241ff.
me-, = me-e-, 48/2/ε
-me- = pronominales Element der dimensionalen Infixe Pl. 1., 47-49;
<* -b-e-, 48/2/δ
-me, unser, 33;

= "Pluralendung", 37;
enklit. Kop. Sg. 1., 2., Pl. 3., 43, 33
das Verbum e, sprechen mit vorausgehendem m<b, cf -BI(bé), n214
= -me-en = enklit. Kop. Sg. 1., 2., 43, 33
= me-zé-en, = me-en-zé, = me-en-zé-en, ihr (you), 33
= me-dè-en, = me-en-dè, = me-en-dè-en, wir, 33
= me-da- <* mu-e-da-, 49/4/β ;
<* mu-me-da-, 49/4/ε

533 -meš = "Pluralendung", 37; beim Verbum cf Poebel §456ff.;
enklit. Kop. Pl. 3., 43

535 (-)ib- wie = (-)íb-

536 šè- wie = ša-, 50/b

-šè- = Element des Term.-Infixes, 48/3, Sollberger Système verbal 82-85

-šè, -éš = Term.-Postp., auch adverbial, 39/f, 53, Poebel §389ff. und 435f.

-éš = Personenzeichen Prät. und Norm. Pl. 3., 44f.;
Akk.-Suff. Pl. 3., 47

554 munus, Frau, "Relativsätze" einleitend Poebel §271f.

557 -dam = d (zumeist -(e)d, 43/§25/1, 43/§25/3) + -àm(, enklit. Kop., 43/§26)

565 "LUM", als "Präp." 40, Sollberger TCS 1 p149

579 a- = Prospektivpräform. vor ba-, 50/e/α

-a = Gen.-Postp., 38;
Lok.-Postp., 39/d;
Nominalisierungssuff., 35, 40, 44, 52; im "Relativsatz", Poebel §268ff.; im abhängigen Satz, Poebel §429ff.; im Typ mes-an-né-pà-da, 54, F. I p135f. und II p53ff.;
Infin.-Endung, 43/§25/2;
Partiz.-Endung, 43/§25/3 (passives Partiz. transitiver Verba und Partiz. intransitiver Verba; für ú-a usw. cf Kärki 108);
<-àm(, enklit. Kop., 43/§26) z.B. in = ḫé-a (akkad. lū), Kärki 110;
im Imperativ, 51/§35/α

= a-ba, wer?, 34f.;

-a-ba, nachdem, Kramer AS 10 31ff., Jestin Abrégé 97

〔symbol〕 = -àm(A-AN) = enklit. Kop. Sg. 3., 43, 33, F. I p179² und
II p32-35

〔symbol〕 = a-na, was?, 34f.;

-a-na = Suff. Sg. 3. pers. + -a(k) (Gen.) oder -a (Lok.),
33, 38f.

〔symbol〕 = a-na-me-a-bi, alle(s), 35, Poebel §261

〔symbol〕 = a-ne, er, 33;

-a-ne = Personenzeichen Prät. Pl. 2., 44

〔symbol〕 = a-ne-ne, sie (they), 33;

-a-ne-ne, ihr (their), 33; 43f./§27/1 (pron. Konj.)

〔symbol〕 = a-rá, bei Multiplikationen, 40

〔symbol〕 = -a-ni/né, sein (his), 33f.; nach der Zahl 1 Poebel §309;

-a-né auch < -a-ni + -e (Ag.- oder Lok.-Term.-
Postp.); 43f./§27/1 (pron. Konj.)

〔symbol〕 = -a-ke₄-éš siehe 〔symbol〕 = -ke₄-éš

〔symbol〕 = -a-da = Infin.-Endung, 43/§25/2/a

〔symbol〕 = -a-meš = enklit. Kop. Pl. 3., Poebel §193 und 195a

586 〔symbol〕 -za = Suff. Sg. 2. + -a(k) (Gen.) oder -a (Lok.), 33, 38f.

〔symbol〕 = za-e, 〔symbol〕 = za, du, 33

589 〔symbol〕 ḫa- = Prekativpräform., 50/d; Beteuerungspräform., Kärki 319ff.

597 〔symbol〕 nì, níg, etwas (akkad. mimma), Poebel §253; "Relativsatz" einleitend,
Poebel §271f.

nì-, níg- bildet Abstrakta, Poebel §119

〔symbol〕 = nì-na-me und 〔symbol〕 = nì-nam, alles, 32 unten

Erster Anhang: EMESAL

Cf Falkenstein, Das Sumerische 29-31, Poebel §75-87, Landsberger, MSL 4 1-44
und Krecher, Heidelberger Studien ... Falkenstein 87-110. Meine Umschrift ist kon-
ventionell.

1   〔symbol〕/〔symbol〕 = aš-te/ti — 〔symbol〕 = gu-za (kussû, Thron)

15 〔symbol〕/〔symbol〕 = ka-nag/na-ág — 〔symbol〕 = kalam (mātu, Land)

43 〔symbol〕 = úru — 〔symbol〕 = uru (ālu, Stadt)

59 〔symbol〕 = li-bi-ir — 〔symbol〕 = nimgir (nagīru, Herold)

61 〔symbol〕 (〔symbol〕) = mu(-uš) — 〔symbol〕 = giš (iṣu, Holz)

〔symbol〕 = mu-ud-na — 〔symbol〕 = UŠ-DAM und 〔symbol〕 = MUNUS-UŠ-DAM
(ḫā'iru, Gatte bzw. ḫīrtu, Gattin)

d = Mu-ul-líl — d = En-líl

= mu-gib$_x$ — = nu-gig (ištarītu, qadištu, Geweihte)

= mu-lu — = lú (aw/mīlu, Mensch)

67 = gil-le-èm — = ḫa-lam (ḫalāqu, zugrunde gehen)

70 = na-ám — = nam (šīmtu, Geschick; Abstrakta)

75 = nu-nús — = munus (sinništu, Frau)

78a = u$_5$ — = ì (šamnu, Öl, Fett)

112 = si-mar — = si-gar (šigaru, Türschloss)

139 = ta, was?, 34

142 = i-bí — = igi (īnu, Auge, pānu, Gesicht)

147 = zé-èm — = sum (nadānu, geben)

= zé-eb — = dùg (ṭābu, gut)

150 = dìm-me-er — = dingir (ilu, Gott)

170 d = Am-an-ki — d = En-ki

172 = dè- — = ḫé-, 50/d

183 = ám — = níg (mimma, etwas; Abstrakta)

206 = -mèn — = -me-en, 43/§26, Poebel §193

206a = su$_8$-ba — = sipa (rē'û, Hirte)

232 = ir — = túm ((w)abālu, bringen)

307 = mar — = gar (šakānu, setzen)

= mar-za — = garza (parṣu, Kultbrauch)

308 = e-zé — = udu (ṣēnū, Kleinvieh, immeru, Schaf)

= e-ne-èm — = inim (aw/mātu, Wort)

= e-lum — = alim (kabtu, schwer)

319 = ga-ša-an — = nin (bēltu, Herrin)

326 = gi$_4$-in — = géme (amtu, Magd)

335 = da- — = ga-, 50/d

= da-ma-al — = dagal (rapšu, breit)

342 = ma — ( ) = gá(-e) (anāku, ich)

= ma-al — = gál (bašû, sein)

350 = gašan — = nin (bēltu, Herrin)

354 = šu-um-du-um — = nundum (šaptu, Lippe)

367 = še-er-ma-al — = nir-gál (etellu, Prinz)

= še-eb — = sig$_4$ (libittu, Lehmziegel)

376 = te, was?, 34

384 = šà-ab — = šà, šag$_4$ (libbu, Herz)

411 = umun — = en (bēlu, Herr) bzw. = lugal (šarru, König)

449  = ši —  = zi (napištu, Seele)

455  = ù-mu-un —  = en (bēlu, Herr) bzw.  = lugal (šarru, König)

532  () = me(-e) —  (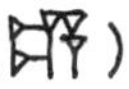) = gá(-e) (anāku, ich)

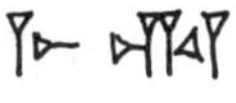 /  = me-ri/er —  = gír (patru, Messer) und  = gìr (šēpu, Fuss)

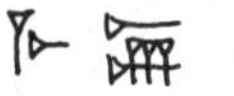 = me-er —  = mer (ezēzu, zürnen)

575  = ur —  = ur_5, 34

579  = a-še-er —  = a-nir (tāniḫu, Mühsal)

595  = TU-mu —  = dumu (māru, Kind), cf Krecher AOAT 1 175

Zweiter Anhang: ALPHABETISCHES REGISTER ZUM INDEX